MANUAL DE LA

Navidad

PARA TODA LA FAMILIA

Agradecimientos:
Por la cesión de las fotografías de sus belenes para esta edición, agradecemos
especialmente la colaboración de la Asociación El Belén de Cerezales, León; Asociación
Belén de Laguardia, Elciego, Álava; Belén Viviente Buitrago de Lozoya, Madrid; Belén Viviente
de Peralta, Barcelona; Excelentísimo Ayuntamiento de Vitoria-Gasteiz, Álava; Pessebre de
Sant Guim de la Plana, Lleida.

© Del texto: Ana Alonso, 2014
© De las ilustraciones: Ximena Maier, 2014
© De las fotografías: Álbum; Archivo Anaya: (Candel, C.; Cosano, P.; García Pelayo, Á.; Liarte
Sales, A.; Martin, J.; Padura, S.; Ramón Ortega, P. - Fototeca de España; Sanguinetti, J.
A.-Fototeca de España; Steel, M.); Asociación Cultural Belén Viviente de Buitrago; Asociación
El Belén de Cerezales; Ayuntamiento de Vitoria-Gasteiz/Daniel Llano; Belén de Laguardia/
Mikel Serrano; Belén de Peralta/Alfredo García Díaz; Getty Images; Pessebre de Sant Guim
de la Plana; Prisma.
© De esta edición: Grupo Anaya, S.A., 2014
Juan Ignacio Luca de Tena, 15. 28027 Madrid
www.anayainfantilyjuvenil.com
e-mail: anayainfantilyjuvenil@anaya.es

Diseño: Gerardo Domínguez

Primera edición, octubre 2014

ISBN: 978-84-678-6172-3
Depósito legal: M.22585/2014
Impreso en España - Printed in Spain

Las normas ortográficas seguidas son las establecidas
por la Real Academia Española en la *Ortografía de la
lengua española,* publicada en el año 2010.

MANUAL DE LA
Navidad
PARA TODA LA FAMILIA

ANA ALONSO

ILUSTRACIONES DE XIMENA MAIER

ANAYA

ÍNDICE

INTRODUCCIÓN

ORIGEN E HISTORIA

LOS ORÍGENES

La Navidad tal y como la celebramos hoy en día es una fiesta en la que se mezclan tradiciones de distinto origen.

El motivo de esta celebración, que tiene lugar cada año entre los días 24 de diciembre y 6 de enero, es conmemorar el nacimiento de Jesús, y por lo tanto tiene un significado religioso dentro de la tradición cristiana. Pero desde el principio, esta fiesta incorporó elementos procedentes de otras tradiciones y culturas.

En realidad no conocemos la fecha exacta en la que nació Jesús. Pero en los primeros siglos del cristianismo, los padres de la Iglesia decidieron celebrar su nacimiento el 25 de diciembre para hacerlo coincidir con la celebración romana del Sol Invicto. Esta fiesta, relacionada con el solsticio de invierno, estaba dedicada al dios Sol del Bajo Imperio Romano, que era el patrón de los soldados. En ella se celebraba el nacimiento del dios, y la Iglesia eligió la misma fecha para celebrar el nacimiento de Jesús con el fin de cristianizar una fiesta que la gente ya conocía, adaptándola a las nuevas creencias que empezaban a extenderse por todo el Imperio.

Oriens. Personificación del Sol. Mosaico de la Casa del Mitreo (Mérida).

La celebración de la Navidad incorporó también muchos elementos de las Saturnales romanas. Estas fiestas estaban dedicadas al dios Saturno y se celebraban entre el 17 y el 23 de diciembre con una atmósfera carnavalesca e intercambios de regalos. Algunas de estas costumbres han pervivido hasta nuestros días.

Otra festividad que influyó mucho en las tradiciones navideñas fue la de *Yule*, celebrada por los pueblos germánicos durante el invierno en honor al dios Odín y a la llamada «Caza Salvaje», una procesión fantasmal que, según sus creencias, cruzaba en esas fechas el cielo invernal. Algunas costumbres de esta fiesta precristiana, como la cabra de *Yule* o el tronco de *Yule*, han pervivido hasta nuestros días.

En muchas lenguas de origen latino, el nombre de estas fiestas está directamente relacionado con la palabra «nacimiento», en referencia al nacimiento de Jesús. Es el caso de «Navidad» en español, *Natale* en italiano, *Nöel* en francés o *Nadal* en catalán y gallego. En inglés, estas fiestas se denominan *Christmas*, que originalmente quería decir «la misa de Cristo». En Alemán, el término *Weinacht* significa «noche sagrada». En los países escandinavos la Navidad se denomina *Jul,* en referencia a la antigua fiesta germánica de *Yule*.

EL NACIMIENTO DE JESÚS

La historia del nacimiento de Jesús tal y como ha llegado a nuestros días se cuenta en los Evangelios de san Mateo y de san Lucas, dos de los textos más importantes de la tradición cristiana.

El *Evangelio según san Lucas* lo relata con estas palabras:

> *Sucedió en aquellos días que salió un decreto del emperador Augusto, ordenando que se empadronase todo el Imperio. Este primer empadronamiento se hizo siendo Cirino gobernador de Siria. Y todos iban a empadronarse cada cual a su ciudad. Tambien José, por ser de la casa y familia de David, subió de la ciudad de Nazaret, en Galilea, a la ciudad de David, llamada Belén, en Judea, para empadronarse con María, su esposa, que estaba encinta. Y sucedió que mientras estaban allí, le llegó el tiempo del parto a ella y dio a luz a su hijo primogénito, lo envolvió en pañales y lo acostó en un pesebre, porque no había sitio para ellos en la posada. (Lucas 2,4-7).*
>
> *A unos pastores, que pasaban la noche al aire libre velando por turno su rebaño, de repente un ángel les dijo, no temáis, os anuncio una gran noticia que será de gran alegría para todo el pueblo, hoy, en la ciudad de David, os ha nacido un Salvador, el Mesías, el Señor. Y aquí tenéis la señal, encontrareis un niño envuelto en pañales y acostado en un pesebre. De pronto una legión del ejército celestial, decía: «Gloria a Dios en el cielo y paz en la tierra a los hombres de buena voluntad». (Lucas 2,8-14).*

El *Evangelio según san Mateo* narra así el nacimiento de Jesús:

> *Habiendo nacido Jesús en Belén en tiempos del rey Herodes, unos magos de Oriente llegaron a Jerusalén preguntando «¿dónde está el rey de los judíos que acaba de nacer? Porque hemos visto su estrella en Oriente y venimos a adorarle». El rey Herodes al oír esto, se turba y con él toda Jerusalén. Reúne a todos los príncipes del sacerdocio y a los escribas del pueblo y les pregunta dónde podía nacer el Mesías. Ellos le contestan en Belén de Judá, pues así está escrito. Los magos, guiados de nuevo por la estrella, caminan hasta pararse en el lugar donde estaba el niño. Entran en la casa, y ven al niño con María, su madre. De hinojos lo adoran, y abriendo sus cofres le ofrecen los dones de oro, incienso y mirra. Advertidos en sueños de no volver junto a Herodes, regresan a su tierra por otro camino. (Mateo 2,7-12).*

Algunos detalles que la tradición asocia con el nacimiento de Jesús proceden de otros libros que no forman parte del canon de la iglesia. Por ejemplo, el buey y la mula del portal se mencionan en un texto del siglo VII conocido como Evangelio apócrifo de pseudo-Mateo, que recogía probablemente tradiciones orales más antiguas.

Natividad (1345). Pintura mural de la capilla de san Miguel del monasterio de Pedralbes, Barcelona.

LA HISTORIA

La Navidad es una fiesta que cuenta con más de 1500 años de antigüedad, pero no siempre se ha celebrado de la misma manera.

A principios de la Edad Media, el día de Navidad no se consideraba tan importante como la fiesta de la Epifanía, que se celebraba el día 6 de enero y conmemoraba la visita de los Reyes Magos a Jesús. Sin embargo, había otras celebraciones importantes alrededor de la Navidad: por ejemplo los cuarenta días de san Martín, que se celebraban a partir del 11 de noviembre y correspondían al período que hoy llamamos «Adviento».

La importancia del día de Navidad aumentó sobre todo a partir del reinado de Carlomagno, que se hizo coronar emperador el día de Navidad del año 800.

En las celebraciones navideñas de la Edad Media pervivían elementos carnavalescos heredados de las Saturnales romanas, como las costumbres de disfrazarse, intercambiar regalos o ir de casa en casa cantando y bailando. Eran fiestas en las que se cometían muchos excesos, aunque el componente religioso también estaba presente, sobre todo a través de los autos de Navidad, montajes teatrales que tenían lugar en las iglesias o en sus atrios y que representaban el nacimiento de Jesús o la visita de los Reyes Magos.

Después de los movimientos religiosos que llevaron a la Reforma Protestante del siglo XVI, , en algunos países protestantes las Navidades comenzaron a verse como una fiesta pagana e impropia de una sociedad verdaderamente religiosa. Por ejemplo, en Inglaterra se prohibió la celebración de la Navidad en 1647, lo que desencadenó una oleada de protestas por todo el país. También en Norteamérica, los puritanos de Nueva Inglaterra prohibieron estas celebraciones en Boston entre 1659 y 1681. Sin embargo, pese a las prohibiciones, las gentes sencillas de estos países a menudo siguieron celebrando estas fiestas a la manera tradicional.

TRADICIONES ANCESTRALES: EL TRONCO DE «YULE»

Esta tradición se celebra todavía en muchas regiones de Inglaterra. Antiguamente, consistía en llevar un tronco de árbol a la casa, y colocar el extremo más ancho en el fuego de la chimenea mientras el resto del tronco sobresalía hacia el interior de la habitación. Con los años, esta costumbre ha ido variando, y actualmente consiste en colocar el leño más grande posible en la chimenea por Navidad. En algunos lugares, el fuego del tronco de *Yule* solía encenderse con un resto del tronco de *Yule* del año anterior. Se creía que el tronco de *Yule* traía la prosperidad a la casa y la protegía del mal, por lo que se guardaba un resto de su madera durante todo el año.

En Francia, durante la Navidad se elaboran unos pasteles llamados *Bûches de Noël* («troncos de Navidad») que conmemoran esta antigua tradición. La tradición catalana del Tió o el Cachopo de Nadal, en Galicia (un tronco que se quemaba en Nochebuena), también son costumbres relacionadas con estos rituales ancestrales.

En los países católicos la Navidad nunca estuvo prohibida, y en los siglos XVI y XVII las escenas del nacimiento de Jesús se convirtieron en un tema recurrente en las obras de los grandes pintores renacentistas y barrocos de Italia y España. También se pusieron de moda los belenes, representaciones en miniatura de la escena del nacimiento de Jesús que se desplegaban tanto en las iglesias como en los hogares de las personas acomodadas.

Muchas de las tradiciones actuales relacionadas con la Navidad, como la de decorar un abeto, proceden de Alemania, donde estas fiestas conservaron su importancia a lo largo del siglo XVIII. Sin embargo, su difusión tuvo lugar a través de la Inglaterra Victoriana en la segunda mitad del siglo XIX. La reina Victoria de Inglaterra, casada con un príncipe alemán, importó la tradición del árbol de Navidad decorado, que no tardó en extenderse a las familias inglesas más acomodadas, y más tarde a Norteamérica y a todo el imperio británico.

Sin embargo, la forma en que entendemos actualmente la Navidad, como una fiesta familiar en la que se ensalzan valores como la solidaridad y la compasión, se la debemos en gran medida a una obra literaria. Se trata de *Canción de Navidad*, del escritor inglés Charles Dickens. En esta obra, Dickens describió la Navidad como una fiesta más centrada en la familia que en la Iglesia y la comunidad. La forma en que describe esta celebración, con reuniones familiares, alegres comidas, bailes, juegos de mesa y un es-

Escena navideña, en una Ilustración del siglo XIX. (Colección particular, Estados Unidos).

Ilustración de la primera edición de *Canción de Navidad* de Charles Dickens.

píritu de generosidad que lo impregna todo, ha tenido tal influencia en el mundo occidental que todavía se deja sentir en nuestros días.

Otra obra literaria, el poema conocido como *Una visita de san Nicolás*, de Clement Clarke Moore, publicada en 1822, fue la responsable de la difusión de la historia de Santa Claus y de muchas de las costumbres modernas que se asocian con este personaje.

A lo largo del siglo xx, la Navidad fue convirtiéndose en una fiesta que combinaba los elementos religiosos tradicionales con una creciente importancia del consumo. La publicidad y la cultura de masas se volcaron en resaltar la importancia de estas fiestas. Al mismo tiempo, la globalización ha provocado que poco a poco la fiesta de Navidad se extienda a otros países de tradición no cristiana. Por eso, en la actualidad las fiestas navideñas se celebran de uno u otro modo en casi todo el mundo.

CAPÍTULO I

PREPARANDO LA NAVIDAD

EL PERÍODO DE ADVIENTO

ADVIENTO

Llamamos Adviento a las cuatro semanas anteriores a la Navidad, contando desde el domingo más próximo a la fecha del 30 de noviembre. La palabra «Adviento» procede de un término en latín que significa «lo que viene» o «lo que se aproxima».

La temporada de Adviento fue establecida oficialmente por la Iglesia en el siglo VI d. C. como una época para reflexionar sobre el significado de la Navidad y para que los nuevos creyentes se preparasen espiritualmente de cara al bautismo.

Hoy en día, el Adviento se celebra en muchos hogares mediante la colocación de coronas, calendarios y velas.

LA CORONA DE ADVIENTO

La corona de Adviento es una corona horizontal formada por ramas de plantas de hoja perenne, como el abeto o el acebo. Esta corona está decorada con cuatro velas que representan las cuatro estaciones del año. En el centro de la guirnalda se coloca una quinta vela.

La guirnalda de Adviento es una decoración religiosa que puede contemplarse en las iglesias de muchos países durante las cuatro semanas anteriores a la Navidad, y también en algunos hogares. Cada domingo de Adviento se enciende una de las velas de la corona. La vela del centro se enciende el día de Navidad.

Los colores de las velas varían de unos países a otros, pero generalmente tres de las velas son moradas y representan respectivamente la esperanza, la paz y el amor. La cuarta vela suele ser roja y simboliza el sacrificio de Cristo, y la vela central, generalmente de color blanco, representa el nacimiento de Jesús.

EL CALENDARIO DE ADVIENTO

El calendario de Adviento se originó en Alemania a principios del siglo xx. Anteriormente, en muchos hogares se marcaba el paso de los días de Adviento encendiendo una vela cada día. Pero algunas familias empezaron a sustituir las velas por pequeñas bolsitas de golosinas sujetas a la corona de Adviento. A partir del día 1 de diciembre, los niños de la casa abrían una de aquellas bolsitas cada día.

Al mismo tiempo, para señalar el paso de los días, algunas personas hacían marcas de tiza en su puerta hasta llegar al día de Navidad.

El inventor del calendario de Adviento moderno fue el alemán Gerhard Lang. Cuando era pequeño, su madre preparaba cada año una tabla con veinticuatro números y colgaba un dulce bajo cada uno de ellos. Cada día de Adviento, Gerhard podía comer uno de aquellos dulces, hasta que llegaba la Nochebuena.

Cuando creció, Gerhard encontró trabajo en una imprenta. Recordando la costumbre de su infancia, se le ocurrió imprimir y vender veinticuatro pequeñas figuras que podían pegarse a cualquier calendario. La idea fue acogida con entusiasmo, y en 1908 Gerhard estaba ya produciendo calendarios con puertas o ventanas que se podían ir abriendo cada día del Adviento. De la noche a la mañana, los calendarios navideños de Munich se convirtieron en una de las tradiciones más populares de Alemania.

Después de la Segunda Guerra Mundial, la costumbre se extendió por toda Europa y por Estados Unidos. Los calendarios se fueron haciendo cada vez más variados, y hoy en día, detrás de sus ventanas pueden encontrarse no solo golosinas o pequeños regalos para los niños, sino también textos, versículos de la Biblia o dibujos relacionados con la Navidad.

ANTES DE LA NAVIDAD: LA FIESTA DE LAS POSADAS

Las posadas es una celebración típica de México, Costa Rica y otros países centroamericanos, y tiene lugar durante los nueve días anteriores a la Navidad. Estas fiestas simbolizan el viaje de María y José desde Nazaret a Belén, justo antes del nacimiento del Niño Jesús. Las posadas se realizan todos los días desde el 16 de diciembre hasta la noche del 24. La gente se reúne y forma una pequeña procesión portando velas y cantando villancicos. Algunos se disfrazan de José y María, o bien llevan estatuillas de ambos personajes. La procesión continúa hasta llegar al lugar donde se pedirá posada. El ritual consiste en que las personas de la casa niegan en un principio la entrada a la comitiva, pero después, al comprender que sus visitantes representan a José y María, les abren sus puertas. Dentro de la casa se reza, se canta, se reparten naranjas y bolsas de dulces y los niños rompen una piñata.

HAZ TU CALENDARIO DE ADVIENTO

CALENDARIO CLÁSICO

Materiales

Cartulina grande blanca o de un color claro, otra cartulina para las ventanas, rotuladores, pinturas, tijeras, pegamento.

Cómo se hace:

* Dibuja en la cartulina una casa grande con 24 ventanas. Pueden ser todas iguales o de diferentes formas y tamaños.
* Recorta las ventanas dejándolas unidas a la casa por el lado izquierdo, para que puedan abrirse. Decora el exterior de cada ventana y pon el número que le corresponde en el centro (entre el 1 y el 24).
* Decora y colorea el resto de la casa.
* Por detrás de la casa, pega otra cartulina blanca.
* Vete abriendo las ventanas y en el recuadro en blanco que queda dentro de cada una dibuja algo relacionado con la Navidad. También puedes sustituir los dibujos por textos relativos la Navidad (poemas breves o frases de un cuento navideño que te hayas inventado). Otra posibilidad es que cada ventana contenga la viñeta de un cómic sobre la Navidad.
* Puedes hacer un calendario un poco diferente dibujando, en lugar de una casa, una aldea con 24 casitas navideñas, o un árbol de Navidad con 24 bolas y una estrella en la punta.

CALENDARIO DE BOLSILLOS

Materiales

Un rectángulo grande de papel de estraza, bolsitas de papel de regalo de distintos dibujos y colores, tijeras, cartulina, pegamento, rotuladores y pinturas, chucherías, cromos o juguetes pequeños.

Cómo se hace:

* Clava o pega el rectángulo de papel de estraza sobre una pared.
* Pega sobre él 24 bolsitas de papel de regalo de diferentes colores, motivos y tamaños.
* Decora cada bolsita con el número que le corresponda, entre el 1 y el 24.
* Dentro de cada bolsita, coloca un regalo, que puede ser una chocolatina o una chuche con envoltorio, o bien un pequeño juguete, o un sobre de cromos, o un papelito enrollado con un dibujo hecho por ti.

CALENDARIO DE CALCETINES

Materiales

Un rectángulo grande de tela o de fieltro, 24 calcetines de bebé o de niño (que ya no se utilicen), aguja, hilo o lana, rotuladores, cartulinas de colores o metalizadas, tijeras y pegamento.

Cómo se hace:

* Cose los 24 calcetines a la tela por uno de los bordes de arriba.
* Pega sobre cada calcetín un círculo con el número correspondiente (entre el 1 y el 24).
* Decora la tela con recortes de fieltro o cartulina, que pueden llevar dibujos navideños.
* Sujeta la tela a la pared con chinchetas o cuélgala de un clavo con una cinta.

LAS TARJETAS DE NAVIDAD

En las semanas anteriores a la Navidad, una costumbre muy extendida es la de enviar felicitaciones por correo. Tanto las familias como las empresas utilizan para ello unas tarjetas especiales decoradas con escenas o motivos navideños.

Los *christmas* surgieron en Gran Bretaña en 1843, poco después de la implantación del servicio postal al precio de un penique. La idea se le ocurrió a un poderoso editor y hombre de negocios llamado sir Henry Cole.

En el mes de diciembre de 1843, Cole recibió tantos mensajes de felicitación que temía no tener tiempo para contestar a todo el mundo. Recordando entonces los trabajos de Navidad que solía hacer de pequeño en la escuela, se le ocurrió que sería buena idea imprimir tarjetas con una escena navideña para felicitar la Navidad a todos sus conocidos de una forma rápida y original.

Sir Henry Cole le encargó el diseño de la tarjeta a su amigo John Calcott Horsley, un pintor al que admiraba. La tarjeta tenía una parte central y dos solapas que se doblaban sobre ella. En el interior, Horsley situó una escena de una familia feliz celebrando la Navidad con un brindis. Para los paneles exteriores, a petición de Cole, el pintor creó escenas relacionadas con la caridad y la ayuda a los desfavorecidos.

Cole añadió una breve frase a los dibujos: *A Merry Christmas and a Happy New Year to You,* que significa «Una alegre Navidad y un feliz Año Nuevo para ti». Se imprimieron mil copias de aquella primera tarjeta navideña. Cole se las envió a sus amigos y socios, pero algunos de ellos se mostraron escandalizados por la escena del brindis, ya que les parecía poco adecuada para una celebración religiosa. A pesar de todo, la idea de sir Henry Cole se extendió, y dos años después miles de familias inglesas usaban ya los *christmas* para felicitar la Navidad a sus allegados. A partir de 1850, la costumbre se extendió a Francia y otros países europeos, y más tarde también llegaría a América.

Los primeros *christmas* no solían incluir motivos religiosos. Casi siempre representaban escenas familiares o bien flores, hadas o imágenes de niños y animales. Muchas de ellas representaban a un petirrojo que llevaba una carta o mensaje en su pico. Esto se debía a que, en la Inglaterra de la época, a los carteros se les llamaba *robins,* que significa petirrojo en inglés, porque su uniforme era de color rojo. Desde principios del siglo XX, la producción de postales navideñas se convirtió en un próspero negocio. Los diseños fueron evolucionando para adaptarse a los gustos de cada época y a los avances en las técnicas de impresión. Durante las dos guerras mundiales se produjeron tarjetas navideñas de carácter patriótico, y por otro lado, las grandes productoras de animación, como Disney, empezaron a lanzar también sus propias tarjetas con algunos de sus personajes más emblemáticos situados en una ambientación propia de estas fiestas.

En las tarjetas del mundo anglosajón, los motivos más repetidos han sido tradicionalmente los renos, los árboles de Navidad y las escenas familiares junto a la chimenea. En España y en los países latinoamericanos, en cambio, suelen predominar escenas de la Natividad o de los Reyes Magos, aunque la influencia anglosajona también ha introducido gradualmente otros motivos.

En la segunda mitad del siglo pasado, algunos ilustradores se especializaron en este tipo de diseños. Es el caso del español Juan Ferrándiz, cuyas postales navideñas, protagonizadas por figuras cándidas y de aspecto infantil, se hicieron famosas en España en los años sesenta del pasado siglo.

Desde su aparición en el siglo XIX, las tarjetas navideñas se convirtieron en objetos perseguidos por los coleccionistas. Una de las colecciones más famosas es la de la reina María de Inglaterra, que se encuentra actualmente en el British Museum de Londres. Los ejemplares más valorados por los coleccionistas son los de las épocas victoriana y eduardiana. En 2001, una de las tarjetas originales de Horsley alcanzó en una subasta un precio de veintidós mil libras esterlinas.

Hoy en día, las tarjetas impresas están siendo sustituidas en gran medida por las tarjetas digitales, que se envían a través del correo electrónico o de las redes sociales. Muchas contienen música, animaciones e incluso algún elemento interactivo.

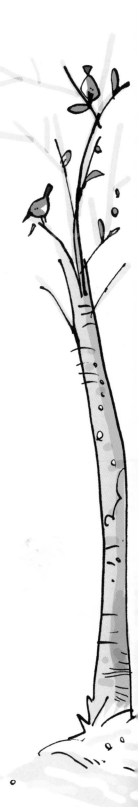

HAZ TUS PROPIAS POSTALES

TARJETA «POP-UP» CON ÁRBOL DE NAVIDAD

Materiales

Cartulina roja, cartulina blanca o de color crudo, rotulador rojo de punta fina, tijeras, pegamento.

Cómo se hace:

* Recorta un rectángulo de cartulina blanca y haz un pliegue transversal por la mitad
* Haz cortes paralelos más anchos en la parte de abajo del rectángulo y más estrechos en la parte de arriba, siguiendo el diseño del dibujo.
* Dobla hacia fuera las tiras que resultan de los cortes para formar tu árbol de Navidad.
* Recorta una cartulina roja un poco mayor que la cartulina blanca. Dóblala transversalmente por la mitad.
* Pega la cartulina blanca sobre la roja de manera que los pliegues centrales coincidan y las tiras que forman el árbol queden libres.
* Completa la tarjeta con dibujos y textos de color rojo.

TARJETA PERFORADA

Materiales

Cartulina de color hueso, lápiz, pinturas, palillo o punzón.

Cómo se hace:

* ✳ Recorta un rectángulo de cartulina y dóblalo transversalmente por la mitad.
* ✳ En la parte exterior de la postal, dibuja un ángel, un árbol de Navidad o un muñeco de nieve. Coloréalo.
* ✳ Abre la cartulina y por detrás del dibujo, haz agujeritos bastante juntos con un palillo o un punzón para que el dibujo quede en relieve.
* ✳ En la parte interior de la cartulina, escribe tu felicitación personalizada y decórala con dibujos de estrellas, campanas u hojas de acebo.

TARJETA EN FORMA DE TRÍPTICO

Materiales

Cartulina negra, cartulina verde metalizada, tiza o cera blanca, tijeras y pegamento, rotulador dorado o plateado.

Cómo se hace:

✳ Recorta un rectángulo de cartulina negra y haz dos dobleces para dividirla en tres partes iguales. Al doblarla, procura que sobre la parte central quede la parte derecha, y sobre esta la parte izquierda.

✳ Dibuja con cera o tiza blanca un motivo navideño en la parte izquierda de la tarjeta.

✳ Recorta la silueta que has dibujado procurando que el hueco quede cerrado y con los contornos suaves.

✳ En la parte derecha de la tarjeta, pega un rectángulo de cartulina metalizada verde o roja. Al cerrar la tarjeta, a través de la silueta que has recortado se verá la cartulina metalizada.

✳ En la parte central de la tarjeta, escribe tu mensaje de Navidad con un rotulador dorado o plateado.

✳ Puedes decorar el texto con estrellas, campanas u otros motivos navideños.

✳ También puedes sustituir la cartulina metalizada por un papel o cartulina de color verde fluorescente.

TARJETA EN RELIEVE

Materiales

Cartulina roja o verde, cartón ondulado, mantelitos de fiesta dorados o blancos, encaje, papel de regalo, tijeras, pegamento.

Cómo se hace:

* ✳ Recorta un rectángulo de cartulina roja o verde y dóblalo transversalmente por la mitad.
* ✳ En la cara exterior de la postal, pega recortes de cartón ondulado, encaje de papel o papeles de regalo para crear un motivo navideño. Puede ser un árbol de Navidad con bolas, unos bastones de caramelo, un Santa Claus sencillo o una casita divertida.
* ✳ Decora la parte interior escribiendo una felicitación personalizada y adornándola con recortes de papel de regalo o encaje que representen estrellas, árboles de Navidad u hojas de acebo.

MERCADILLOS DE NAVIDAD

En vísperas de las fiestas navideñas, muchas ciudades despliegan mercados al aire libre donde se pueden adquirir adornos para la preparación de los hogares o degustar platos y dulces propios de estas fechas. Estos son algunos de los más famosos del mundo.

MERCADO DE ESTRASBURGO (FRANCIA)

Es el mercado navideño más antiguo de Francia, data del siglo XVI. Aunque se extiende por buena parte de la ciudad, su centro se encuentra en la plaza Broglie y en la bella plaza de la Catedral. Entre las mercancías que pueden adquirirse en los puestos, destacan los adornos de madera y vidrio pintado, las cajas de música, los manteles bordados y la cerámica. En los puestos de comida se puede probar el pan de especias, el *foie-gras* y el vino caliente.

MERCADO DE COPENHAGE (DINAMARCA)

Situado en el Tívoli, un romántico parque de atracciones del siglo XIX, este mercado navideño destaca por sus miles de lucecitas que iluminan los árboles y los alrededores del lago, así como los más de mil árboles de Navidad desplegados para la ocasión. En él se puede degustar el *glogg*, un vino caliente y especiado, así como las rosquillas de manzana y las almendras tostadas. Los puestos tienen forma de casita y venden artesanías danesas. Y también se pueden encontrar en él ciento treinta y seis *pixies* mecánicos.; los *pixies* son personajes del folclore danés muy típicos de estas fiestas.

MERCADO DE NÚREMBERG (ALEMANIA)

Formado por unos ciento ochenta puestos de madera con toldos de rayas rojas y blancas, este mercado se sitúa en la plaza principal de la ciudad. En él no se venden adornos de plástico, todo es artesanal: juguetes de madera, velas hechas a mano, cajas de música esmaltadas, y por supuesto pan de jengibre. Pero quizá los productos más típicos de este mercado son los cascanueces de colores; las «pirámides» (una especie de pasteles de boda giratorios con figuritas de madera y velas); y los *Zwetcschgenmännle,* muñequitos hechos de pasas, nueces y frutos secos, vestidos con pintorescos trajes. Para saciar el hambre se pueden tomar salchichas asadas con vino caliente. Además hay un mercado especial para los niños en la cercana plaza Hans-Sachs, con carruseles antiguos, un tren de vapor y puestos para aprender a amasar y hornear galletas o a hacer velas.

MERCADO DE PRAGA (REPÚBLICA CHECA)

En la preciosa plaza Mayor de Praga, donde se encuentra el célebre reloj astronómico de la ciudad, se despliegan un pintoresco mercado navideño, un gran árbol de Navidad y un belén. Cada tarde actúan grupos de música folclórica o coros que cantan villancicos. Los productos más típicos son los juguetes de madera, los adornos de cristal de Bohemia, los bizcochos de jengibre y las tradicionales decoraciones de paja y maíz. Los belenes de paja típicos del país son una artesanía tradicional muy apreciada. En el museo del Puente de Carlos se exhibe una maravillosa colección de este tipo de figuras.

MERCADO DE TALLIN (ESTONIA)

Rodeado de plazas medievales y calles empedradas, en este mercado, además de los puestos llenos de productos artesanales estonios, hay un impresionante árbol de Navidad que, según muchas tradiciones, es el más antiguo de Europa. También hay una pista de hielo para patinar, y por las tardes se celebran conciertos de música clásica o de *jazz*. Otras atracciones son la casa de Santa Claus y su oficina de correos, así como un pequeño establo donde los niños pueden dar de comer a los renos.

MERCADO DE HYDE PARK (LONDRES, REINO UNIDO)

El más grande y famoso de Londres es sin duda el mercado de Hyde Park, formado por más de doscientos puestos de madera en los que se venden adornos artesanales y regalos hechos a mano. Hay una noria, una pista de patinaje y atracciones los niños, además de numerosos puestos de comida, entre ellos una especie de barbacoa al aire libre y un bar de estilo alpino.

FIRA DE SANTA LLÚCIA (BARCELONA)

Este mercado navideño se celebra en la avenida de la Catedral, situada en el barrio Gótico de la ciudad. En sus puestos se pueden encontrar figuras artesanales del belén, y toda clase de complementos para el belenismo, así como las tradicionales zambombas y panderetas, instrumentos típicos de estas fiestas.

MERCADO DE LA PLAZA MAYOR (MADRID)

En pleno Madrid de los Austrias, este mercado despliega cada año noventa casetas en las que se venden figuras y complementos para el belén y adornos para el árbol de Navidad, así como dulces típicos de estas fiestas. En la plaza de Santa Cruz se montan puestos con artículos de broma para la celebración del día de los Santos Inocentes.

LA ILUMINACIÓN

Pocos días antes de Navidad, las calles de las ciudades se llenan de guirnaldas luminosas formadas por miles de bombillas multicolores. En muchos lugares la inauguración de las luces navideñas se convierte en una auténtica celebración.

Las primeras luces eléctricas de Navidad fueron inventadas por Edward Johnson, un socio de Thomas Edison. En diciembre de 1882, Johnson encargó un total de ochenta bombillas rojas, blancas y azules del tamaño de una nuez para decorar el árbol de Navidad de su casa de Nueva York.

Muy pronto esta moda se extendió a la decoración de interiores y escaparates, y en la década de 1920 se empezaron a comercializar guirnaldas de luces para el exterior de los edificios. El primer despliegue de luces navideñas en una ciudad fue el de la avenida Santa Rosa en Altadena, California. Durante la década de 1930, la costumbre de iluminar las ciudades en Navidad fue generalizándose poco a poco.

Normalmente son entidades públicas o privadas las que corren con los gastos de la iluminación navideña. En los últimos años, para reducir el gasto energético, se ha ido extendiendo el uso de bombillas de bajo consumo en este tipo de decoraciones.

Entre los montajes de luces más célebres del mundo figuran el de Oxford Street, en Londres, y el de Los Campos Elíseos en París. También resulta muy impactante la iluminación de algunos edificios famosos, como la Torre Eiffel de París o la Ópera de Sydney (Australia).

LA LOTERÍA

En España, una de las tradiciones más arraigadas en vísperas de la Navidad es la de la lotería de Navidad. Se trata de un sorteo que se celebra cada año el 22 de diciembre en el salón de sorteos de Loterías y Apuestas del Estado, en Madrid. El premio máximo recibe el nombre de «el Gordo», y desde 2011 tiene un valor de cuatro millones de euros por billete. Los boletos reciben el nombre de décimos porque corresponden a la décima parte de un billete. Es decir, un décimo agraciado con el Gordo recibiría un premio de 400.000 euros.

Los números de los boletos van desde el 000000 hasta el 99999. El sorteo se realiza mediante dos bombos: uno de ellos contiene las bolas de los números y otro las bolas de los premios. Los niños del colegio de San Ildefonso son los encargados de extraer las bolas de los bombos. A partir de las nueve y cuarto de la mañana, cada vez que un niño saca y canta un número del bombo grande, otro niño saca la bola correspondiente del bombo de los premios. El sorteo concluye cuando se han sacado todas las bolas del bombo de los premios.

La primera vez que se celebró el sorteo de Navidad fue el 18 de diciembre de 1812 en Cádiz. En esa ocasión el premio Gordo fue a parar al número 03604. Entonces el precio del billete era de 40 reales y el premio de 8.000 pesos fuertes. Hasta 1913, los números estaban impresos en papeles. A partir de esa fecha se implantó el sistema de bombos y bolas que aún se sigue utilizando hoy en día.

Alrededor del sorteo de de Navidad se han generado numerosas tradiciones: una de ellas es la de regalar décimos a las personas cercanas, o la de repartir un mismo número entre los trabajadores de una misma empresa. En los bares y tiendas se venden participaciones de lotería, a veces con un pequeño recargo para financiar distintas causas.

El sorteo se retransmite en directo por televisión y a través de la radio, y es seguido por millones de personas en todo el país. El peculiar soniquete de los números de la lotería y sus correspondientes premios tal y como los cantan cada año los niños del colegio de San Ildefonso marca para muchos españoles el comienzo oficial de las fiestas navideñas.

CAPÍTULO II

EL ÁRBOL
DE NAVIDAD

EL ORIGEN DEL ÁRBOL

LA LEYENDA...

Nadie sabe con certeza cuándo y dónde se empezaron a usar los abetos como adornos de Navidad, aunque parece que esta tradición procede de Alemania.

Según una célebre leyenda, el inventor de esta costumbre fue un monje inglés llamado Winfrid, más conocido como san Bonifacio (680-754). En el siglo VIII, san Bonifacio viajó a Alemania para predicar allí el cristianismo. En aquella época, la mayor parte de la población alemana veneraba a los dioses germánicos, que según ellos tenían el mismo aspecto que los hombres y mujeres mortales y habitaban en una especie de paraíso llamado *Walhalla*. Uno de los dioses germánicos más importantes era Thor, el dios del trueno.

Un día de invierno, san Bonifacio llegó a un lugar donde la gente se estaba preparando para celebrar una gran fiesta. Era la fiesta del solsticio de invierno, que coincide con la noche más larga de todo el año. El centro de la celebración era un viejo roble llamado el árbol de Donar (otro de los nombres por los que se conocía al dios Thor). Cuando san Bonifacio se enteró de que durante la fiesta se iba a sacrificar a un joven en honor de Thor, montó en cólera y, cogiendo un hacha, asestó un tremendo golpe al tronco del árbol sagrado. Entonces se levantó de repente un fuerte viento, y el roble de Donar se desplomó, ante el asombro de todos los presentes, que vieron en aquel prodigio una señal divina y se convirtieron al cristianismo.

Según la leyenda, en el lugar donde se alzaba el árbol de Thor brotó al instante un pequeño abeto. San Bonifacio decidió convertir ese árbol, que nunca pierde su verdor, en el símbolo de la Navidad cristiana. Al año siguiente, en todos los hogares de la zona había un pequeño abeto decorado con manzanas rojas y dulces recién horneados. Y ese fue el origen de los famosos árboles de Navidad.

... Y LA HISTORIA

En realidad, es posible que la costumbre de colocar abetos en las casas durante el solsticio de invierno ya existiese en Alemania antes de que se extendiese el cristianismo. Los abetos, con sus hojas perennes, servían para recordarles a los campesinos que después del frío invernal los días volverían a ser largos, el sol luciría en todo su esplendor y las plantas recuperarían sus hojas. Cuando la población se hizo cristiana, empezó a relacionar esta antigua tradición con la celebración del nacimiento de Jesús.

El primer árbol de Navidad adornado del que se tiene constancia en los textos históricos es el de Riga (Letonia). En la Navidad de 1510, los miembros del gremio de los comerciantes colocaron el árbol en la plaza del mercado y lo decoraron con rosas de papel (la rosa era un símbolo de la Virgen María). Después bailaron a su alrededor, y terminaron la celebración quemándolo. Sabemos también que en 1530, en Alsacia (actual región del este de Francia, en la frontera con Alemania y Suiza) se vendían árboles en los mercados al aire libre para que la gente se los llevase a su casa como adorno de Navidad. Los árboles, por lo general, no se decoraban.

Sin embargo, en el siglo XVII ya se había extendido en Alemania la costumbre de decorar los abetos con manzanas, a las que pronto se sumaron otros adornos como nueces, dulces y tiras de papel rojo. En aquella época los árboles solían colgarse del techo boca abajo. La costumbre de adornar los abetos con velas encendidas aparece por primera vez en Francia en el siglo XVIII. Aunque era un adorno muy llamativo, provocaba gran número de incendios.

En el siglo XIX, la utilización de abetos decorados como adorno navideño se extendió por buena parte del mundo. En Estados Unidos esta costumbre fue introducida por los colonos alemanes instalados en la zona de Pensilvania. En Finlandia se introdujo en 1800, y en Inglaterra, en 1829.

En 1841 el marido de la reina Victoria de Inglaterra, el príncipe Alberto, hizo colocar en el castillo de Windsor el primer árbol de Navidad de la familia real inglesa. Alberto era un príncipe alemán, de ahí que conociese bien esa tradición. Cuando se difundió un grabado de la reina Victoria con su esposo y sus hijos, celebrando las fiestas alrededor del árbol, mucha gente en Inglaterra se apresuró a imitarlos, colocando abetos adornados en sus casas.

En España, el primer árbol de Navidad fue instalado en 1870 por el aristócrata español José Isidro Osorio, duque de Sesto, en su residencia del palacio de Alcañices, en el paseo del Prado de Madrid.

A finales del siglo XIX, las familias más acomodadas de Francia, Inglaterra y Estados Unidos empezaron a comprar bolas de cristal importadas de Alemania para decorar sus árboles. Eran adornos muy caros, y solo los más ricos podían permitírselos.

A lo largo del siglo XX, el abeto se fue convirtiendo en un símbolo universal de la Navidad. La tala de abetos en los bosques, que empezaba a poner en peligro la supervivencia de estos árboles, fue desapareciendo cuando se crearon las primeras plantaciones de árboles de Navidad. Una de las más antiguas fue inaugurada en Hyde Park (Nueva York) por el presidente estadounidense Franklin D. Roosevelt, que estaba muy preocupado por la conservación de los bosques de su país.

Finalmente, las peligrosas velas que decoraban los abetos fueron sustituidas por bombillitas eléctricas para evitar el riesgo de incendio, y se extendió también el uso de árboles artificiales, sobre todo a partir de 1960. En la actualidad, los avances tecnológicos y de diseño han permitido la fabricación de árboles con resultados muy realistas.

ÁRBOLES DE NAVIDAD FAMOSOS

ÁRBOL DEL EMIRATES PALACE HOTEL EN DUBÁI

El hotel Emirates Palace de Dubái instaló en 2010 el árbol de Navidad más caro del mundo. Adornado con joyas por valor de once millones de dólares, entró por este motivo en el *Libro Guiness de los récords*. Las cadenetas que lo adornaban eran de oro y plata, pero además colgaban de sus ramas gran cantidad de piedras preciosas de todas clases.

ÁRBOL FLOTANTE DE RÍO DE JANEIRO

El árbol de Navidad más famoso de Brasil es el de Río de Janeiro, un árbol artificial flotante que pesa 542 toneladas y está decorado con más de tres millones de bombillas.

ÁRBOL DE TRAFALGAR SQUARE EN LONDRES

Cada año, se yergue en la famosa plaza de Trafalgar de Londres un abeto muy especial, ya que es el regalo anual del pueblo de Noruega a los británicos en agradecimiento por su ayuda durante la Segunda Guerra Mundial. Esta tradición se mantiene desde 1947.

ÁRBOL DEL ROCKEFELLER CENTER EN NUEVA YORK

El árbol de Navidad del centro Rockefeller de Nueva York es quizá el más famoso del mundo. Miles de personas acuden cada año a la ceremonia de su iluminación, que es seguida por millones de norteamericanos a través de la televisión. Esta ceremonia se celebra desde el año 1933 y suele estar amenizada con la actuación de importantes estrellas musicales.

ÁRBOL DE LAS GALERÍAS LA FAYETTE EN PARIS

Probablemente el árbol de Navidad más famoso de Francia es el que cada año se alza en el centro de las célebres Galerías La Fayette. Estos grandes almacenes son los más conocidos de París, y su edificio central, con su monumental cúpula y sus diez pisos llenos de luces, recibe cada año más visitantes que la Torre Eiffel o el Museo del Louvre.

ÁRBOL DE LA CASA BLANCA

La residencia oficial del presidente de Estados Unidos se adorna con más de treinta abetos decorados, pero solo uno es el árbol de Navidad oficial de la Casa Blanca. Normalmente se instala en «la habitación azul», y la Primera Dama es la encargada de elegir su decoración. En 1961, Jacqueline Kennedy inició la tradición de elegir cada año un tema para la decoración. Ella escogió ese año los personajes y juguetes del *ballet* «El Cascanueces» de Tchaikovsky. Desde entonces, se han sucedido los temas: instrumentos musicales, personajes navideños del mundo, postales de Navidad, edificios famosos de América, las canciones infantiles, o los libros y sus protagonistas.

ÁRBOL DE PIEZAS DE LEGO EN ST PANCRAS STATION

En 2011, los viajeros que pasaban por la estación de ferrocarril St Pancras, en Londres, pudieron admirar un gigantesco árbol de Navidad construido enteramente con piezas de lego. Fue realizado por Duncan Titmarsh, uno de los pocos profesionales de la construcción con bloques Lego del mundo. El árbol llevaba más de 400.000 piezas y una armazón de acero de unas tres toneladas para sostener su peso.

EL ÁRBOL DE LUZ DEL MONTE INGINO

En Italia, a las afueras de la ciudad de Gubbio, se enciende cada año el árbol de Navidad más sorprendente del mundo. En realidad no es un abeto auténtico, ya que está hecho de luces (en total más de quinientos), y cubre una ladera entera de la colina de Ingino. Es el árbol de Navidad más grande del planeta, y desde hace algunos años lo enciende el papa en persona con un mando a distancia.

UN ADORNO MUY ESPECIAL:
LA LEYENDA DE LAS ARAÑAS

En Alemania y en Ucrania se conservan numerosas leyendas que relacionan las arañas con la decoración del árbol de Navidad. Aquí puedes leer una de ellas.

Se acercaba la Navidad, y una madre llamada Greta estaba preparando la casa para celebrar las fiestas. Como quería que todo estuviese a punto, se puso a limpiar el salón de arriba abajo. No tenía dinero para comprar adornos, pero al menos quería asegurarse de que todo brillase de limpieza en aquellos días tan especiales.

Estaba desempolvando un rincón del techo cuando se fijó en una araña que temblaba colgada de una viga. Aunque necesitaba quitarla de allí para que no estropease su trabajo, Greta decidió perdonarle la vida. Al fin y al cabo, la Navidad es una época de buenos sentimientos, y la pobre araña no había hecho nada para merecer la muerte, de modo que Greta la cogió en la mano y la subió al desván, donde la dejó.

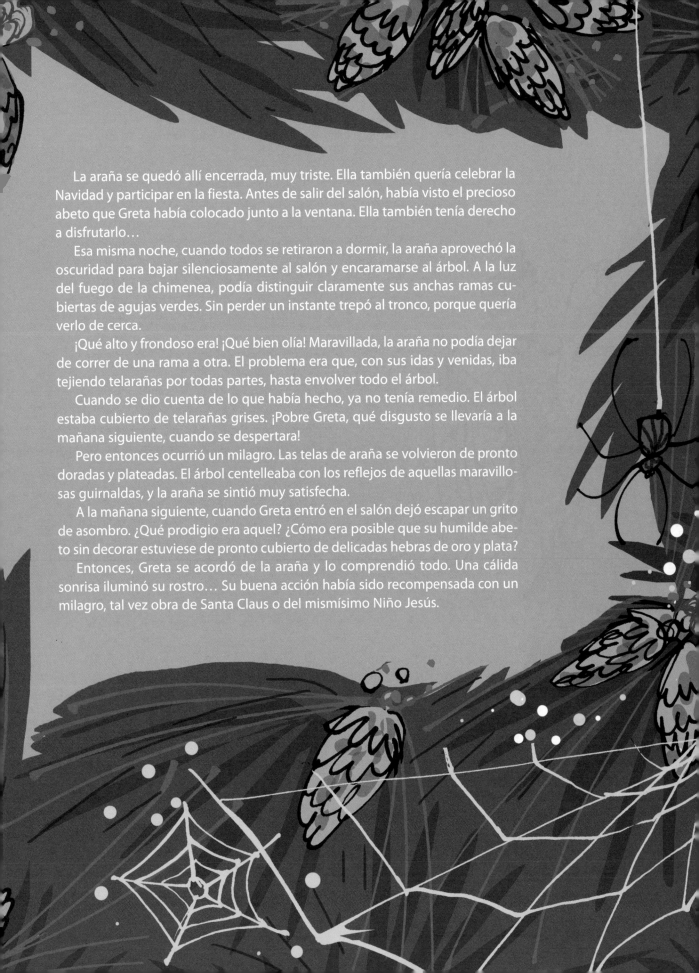

La araña se quedó allí encerrada, muy triste. Ella también quería celebrar la Navidad y participar en la fiesta. Antes de salir del salón, había visto el precioso abeto que Greta había colocado junto a la ventana. Ella también tenía derecho a disfrutarlo…

Esa misma noche, cuando todos se retiraron a dormir, la araña aprovechó la oscuridad para bajar silenciosamente al salón y encaramarse al árbol. A la luz del fuego de la chimenea, podía distinguir claramente sus anchas ramas cubiertas de agujas verdes. Sin perder un instante trepó al tronco, porque quería verlo de cerca.

¡Qué alto y frondoso era! ¡Qué bien olía! Maravillada, la araña no podía dejar de correr de una rama a otra. El problema era que, con sus idas y venidas, iba tejiendo telarañas por todas partes, hasta envolver todo el árbol.

Cuando se dio cuenta de lo que había hecho, ya no tenía remedio. El árbol estaba cubierto de telarañas grises. ¡Pobre Greta, qué disgusto se llevaría a la mañana siguiente, cuando se despertara!

Pero entonces ocurrió un milagro. Las telas de araña se volvieron de pronto doradas y plateadas. El árbol centelleaba con los reflejos de aquellas maravillosas guirnaldas, y la araña se sintió muy satisfecha.

A la mañana siguiente, cuando Greta entró en el salón dejó escapar un grito de asombro. ¿Qué prodigio era aquel? ¿Cómo era posible que su humilde abeto sin decorar estuviese de pronto cubierto de delicadas hebras de oro y plata?

Entonces, Greta se acordó de la araña y lo comprendió todo. Una cálida sonrisa iluminó su rostro… Su buena acción había sido recompensada con un milagro, tal vez obra de Santa Claus o del mismísimo Niño Jesús.

CÓMO MONTAR TU ÁRBOL

1. Elegimos un lugar espacioso, cerca de un enchufe para conectar las luces, y lejos de los radiadores si es un árbol natural, para que no se seque.

2. Si el árbol es natural, colocamos un plato debajo de la maceta y nos aseguramos de regarlo cada dos o tres días. Si es un árbol artificial, desplegamos con cuidado sus ramas, procurando que queden simétricas y bien distribuidas.

3. Montamos primero las luces, colocando una, dos o tres guirnaldas de bombillas según el tamaño del árbol. Distribuimos las luces en forma de hélice alrededor del tronco y en la parte más ancha de las ramas, de manera que queden bien repartidas. Podemos elegir luces de un solo color o de varios colores, y programar distintos patrones de intermitencia.

4. Después de colocar las luces, distribuimos los espumillones u otro tipo de guirnaldas o cabelleras de plata.

5. A continuación, colgamos los adornos, empezando por los grandes y terminando con los más pequeños. Las decoraciones más pesadas deben colgar de las ramas más gruesas, y siempre debemos evitar colgar adornos de los extremos de las ramas para que estas no se rompan. Hay que asegurarse de repartir bien los elementos decorativos para que ninguna zona del árbol quede más vacía que otras, y no debemos olvidarnos de colocar algún detalle entre las ramas más profundas. Para terminar, colocamos en el extremo del árbol algún adorno especial, como una estrella, una campana o alguna otra decoración vistosa.

CÓMO DECORAR TU ÁRBOL

LAS BOLAS DE NAVIDAD

De cristal o de plástico, grandes, medianas o pequeñas, las bolas son la decoración más clásica para un árbol de Navidad. Podemos mezclar bolas de distintos colores, pero también es buena idea elegir solo uno o dos colores para tu decoración. Algunas combinaciones que resultan especialmente bonitas son las siguientes: blanco, cristal y plata; rojo y oro; rojo y verde o azul y plateado.

TEMAS CLÁSICOS NAVIDEÑOS

Papá Noel, los Reyes Magos, muñecos de nieve, campanas, estrellas y figuras del belén… Son motivos de siempre, y puedes encontrarlos en en las tiendas y mercadillos de Navidad. Pero también podemos fabricarlos nosotros con cartulina, lana, papeles metalizados o corcho. Hay que elegir siempre materiales que no pesen mucho.

TARJETAS POSTALES

¿Por qué no reciclar las postales navideñas del año pasado y convertirlas en adornos? Les hacemos un agujero con una perforadora y pasamos a través de él una cinta vistosa que sirva de colgador. Podemos mezclar las postales con otro tipo de adornos o usarlas como tema principal de la decoración. Y también podemos fabricar nuestras propias postales para completar las que ya tenemos.

JUGUETES

Trenecitos, soldados de madera, muñequitos, peluches, tambores… Los juguetes clásicos son un tema muy habitual en la decoración del árbol. Podemos comprarlos o fabricarlos nosotros mismos reciclando juguetes viejos. También podemos revisar nuestra habitación, seleccionar juguetes pequeños y añadirles un pequeño colgador de lazo o de hilo dorado.

MATERIALES RECICLADOS

Si pintas una bombilla fundida con pintura especial para cristal, se convertirá en una llamativa bola para tu árbol. Si forras un envase vacío con celofán rojo o papel metalizado, tendrás un vistoso adorno. Solo tienes que elegir entre el material reciclable que tienes en casa y dejar volar tu imaginación: piezas de puzle pintadas de dorado por las dos caras, latas cubiertas de purpurina, etiquetas de la ropa forradas o pintadas… las posibilidades son inagotables.

Y MUCHO MÁS

¿Por qué no decorar el árbol de Navidad con los personajes de tus libros favoritos? ¿O con fotos de los miembros de tu familia adornadas con gorros de Papá Noél y con otros motivos navideños? ¿Qué tal si reciclas los cromos repetidos de tus álbumes, los pegas en cartones dorados o plateados y los conviertes en originales decoraciones? ¿Y por qué no recortar figuras de las cajas de tus juguetes, pintarlas de purpurina por detrás y ponerles un colgador para tu árbol? Las posibilidades, como puedes ver, son infinitas.

DESPUÉS DE LA NAVIDAD: RECICLA TU ÁRBOL

Si tu árbol tiene raíces, la mejor opción es volver a plantarlo. Puedes hacerlo tú mismo si tienes un jardín, y si no es así, puedes donarlo a un vivero o regalárselo a alguien que conozcas con terreno suficiente para plantarlo. Para saber si el árbol tiene raíces, pregúntale al vendedor antes de adquirirlo. Si estás interesado en conservar el árbol de Navidad para el año que viene, encarga un ejemplar con raíces en tu floristería o vivero, ya que la mayoría de los árboles de Navidad se comercializan con las raíces cortadas. Si el árbol no tiene raíces, puedes reciclarlo de una forma ecológica metiéndolo en una bolsa de plástico y llevándolo a un punto de recogida establecido para ese fin en tu localidad.

Casi todas las ciudades y pueblos cuentan con un servicio de recogida de árboles de Navidad durante las dos primeras semanas de enero. Puedes llamar a tu Ayuntamiento o informarte en Internet para saber exactamente a dónde debes acudir. Otra opción es llevarlo directamente a un centro de reciclaje donde será triturado y convertido en abono natural.

HAZ TUS PROPIOS ADORNOS

Crear adornos para tu árbol de Navidad es mucho más sencillo de lo que parece. Una forma de hacerlo es conseguir un juego de cartulinas de distintos colores, algunos papeles metalizados, tijeras, pegamento y un poco de cinta para hacer los colgadores de los adornos. Dibuja en las cartulinas motivos navideños, como estrellas, campanas, paquetes de regalo o figuras de Papá Noel y los Reyes Magos. Después, coloréalas, recórtalas con cuidado y pégales un trozo de cinta en forma de bucle para poder colgarlos. Puedes elegir también otros motivos (bastones de caramelo, calcetines o estrellas de nieve) y usar todos los materiales que se te ocurran. ¡Deja volar tu imaginación! Para inspirarte, aquí te proponemos algunas ideas.

ADORNOS «VINTAGE» DE ÁNGELES

Materiales

Posavasos de papel de fiesta, cromos antiguos de ángeles (o dibujos vintage de ángeles sacados de Internet), tijeras, pegamento, papel de seda rosa claro o tela de ese mismo color, cinta de raso fina, carboncillo o pintura negra.

Cómo se hace:

* Pega dos posavasos iguales con el pegamento, introduciendo entre ellos la cinta de raso cortada y doblada para que sirva de colgador del adorno.
* Recorta el ángel de estilo antiguo y pégalo en el centro de uno de los posavasos. Puedes sombrearlo un poco en los bordes con un carboncillo o una pintura negra para darle un estilo más *vintage*.
* Debajo del ángel, coloca una nubecita de papel de seda rosa arrugado o tela. Puedes hacer la nube de varias capas unidas por un poco de pegamento en el centro, y dejando los bordes despegados, para que quede tridimensional.

BOLAS DE LENTEJUELAS

Materiales

Bolas de porexpán, alfileres, lentejuelas rojas, doradas y plateadas, cordón o cinta dorados.

Cómo se hace:

* Coloca una lentejuela sobre la bola.
* Clávala a la bola con un alfiler (ensartando la lentejuela en él).
* Repite el proceso con el resto de las lentejuelas hasta cubrir toda la bola.
* Puedes crear primero dibujos de lentejuelas doradas sobre la bola (flores, estrellas o cruces) y después cubrir el resto de la bola con lentejuelas rojas. Prueba a crear diferentes combinaciones de dibujos y colores.
* Deja un espacio en la bola para clavar una cinta o cordón doblado y sujeto mediante una lentejuela y una chincheta. Así la bola tendrá un colgador para el árbol.

CADENETA DE MUÑECOS DE JENJIBRE

Materiales

Papel de envolver o cartón, tijeras, pegamento, rotuladores, cordón rojo o dorado.

Cómo se hace:

* Dibuja en el cartón o en el papel de envolver un muñeco como el de la cadeneta de la ilustración. Asegúrate de dibujar un rectángulo arriba para unir la figura al cordón.
* Recorta el muñeco. Puedes utilizarlo como plantilla para dibujar otros muñecos iguales. Recórtalos todos y decóralos de diferentes maneras.
* Enrolla el rectángulo superior del primer muñeco alrededor del cordón y pégalo. Pega el siguiente muñeco dejando unos 10 cm de distancia con el primero. Repite la operación hasta haber colgado todos los muñecos.

CRISTALES DE NIEVE

Materiales

Cuatro limpiapipas metalizados (puedes encontrarlos en las tiendas de manualidades), cinta, tijeras y pegamento.

Cómo se hace:

✳ Une tres de los limpiapipas anudándolos por el centro para formar una estrella, como en la figura.

✳ Coloca el cuarto limpiapipas alrededor de los anteriores, imitando la forma de un cristal de nieve:

✳ Puedes hacer copos más pequeños cortando los limpiapipas por la mitad y repitiendo los pasos anteriores.

✳ Para añadir los colgadores, dobla una cinta o cordón y anuda los extremos a una de las puntas de la estrella.

ARBOLITOS DE FIELTRO

Materiales

Una lámina de fieltro, una perforadora de papel (puede sustituirse con unas tijeras), cartulina dorada o plateada, tijeras, pegamento, cordón o cinta para el colgador.

Cómo se hace:

✳ Corta un círculo de fieltro (puedes usar como plantilla un vaso o una taza de café).

✳ Corta una espiral en el círculo de fieltro que vaya desde uno de los bordes hasta el centro, como en la ilustración.

✳ Dibuja una estrella en la cartulina y recórtala. Hazle un agujero con tijeras o una perforadora en una de las puntas, y pasa a través de él una cinta a modo de colgador.

✳ Pega la estrella al centro de la espiral, ¡y ya tienes tu adorno! Puedes repetirlo en diferentes combinaciones de colores.

CALCETINES DECORATIVOS

Materiales

Papel de embalaje o bolsa de papel marrón, punzón o perforadora, lana roja, pegamento, restos de papeles metálicos, cartulinas de colores o pegatinas, rotuladores.

Cómo se hace:

✳ Dobla el papel de embalaje (si es una bolsa no hace falta, ya tiene dos capas), y dibuja un calcetín con lápiz.

✳ Recorta el calcetín siguiendo la línea del dibujo: te quedarán dos calcetines de papel idénticos.

✳ Perfora los bordes de los calcetines con un punzón o una perforadora. No hagas agujeros en la parte de arriba del calcetín.

✳ Pasa la lana roja por los agujeros para unir los dos calcetines, como si los estuvieras cosiendo (también puedes no hacer los agujeros y coser los calcetines directamente con una aguja de lana). Anuda un bucle de lana arriba para crear el colgador del calcetín.

✳ Decora los calcetines con dibujos navideños, formas de estrellas y campanas recortadas en cartulina o pegatinas de Navidad.

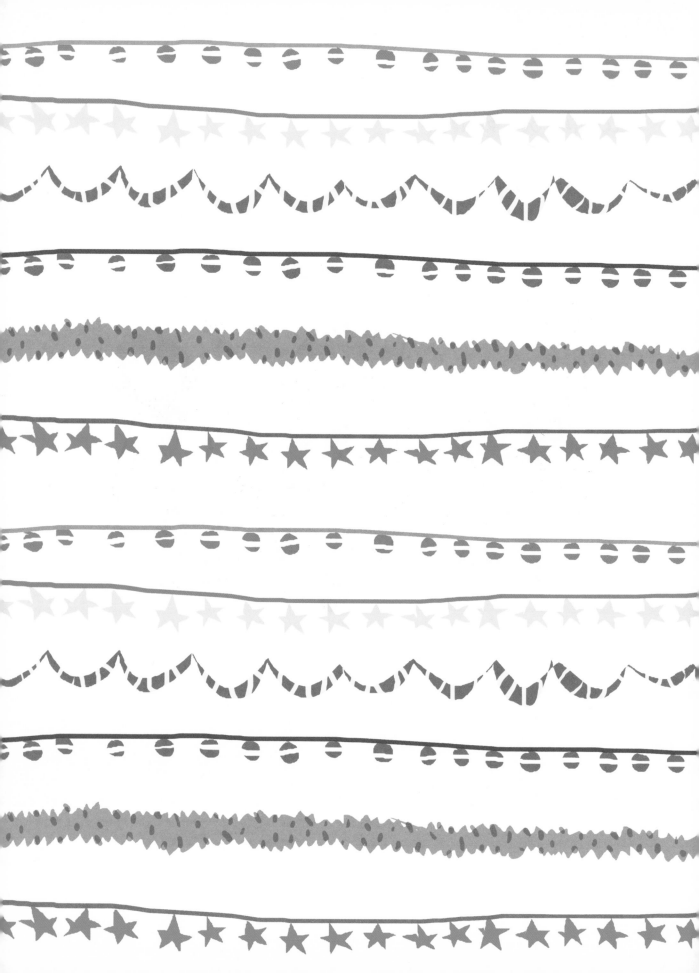

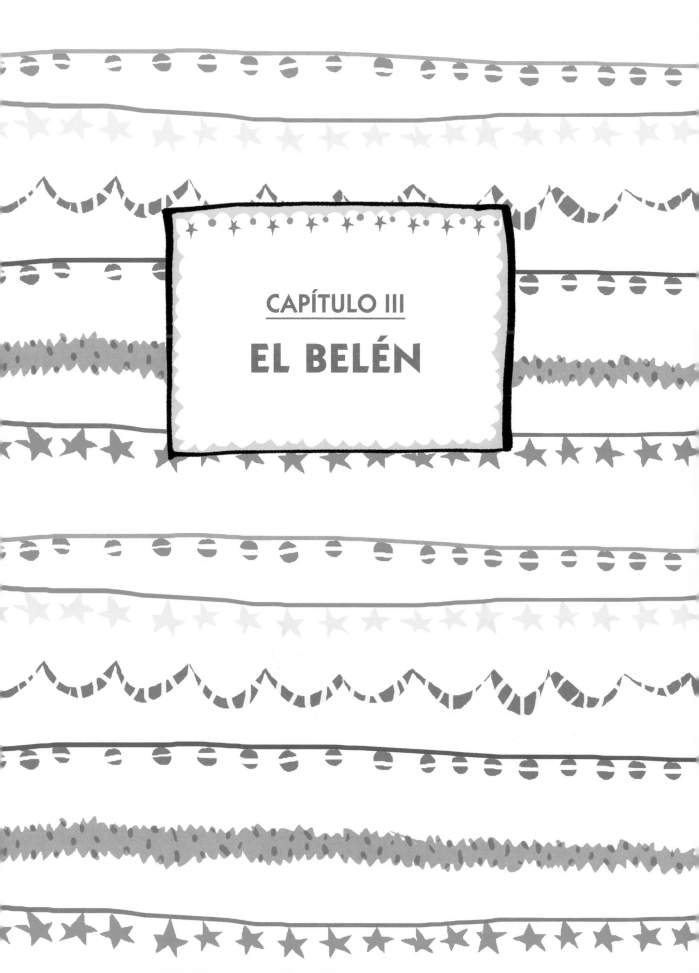

CAPÍTULO III
EL BELÉN

ORIGEN Y EVOLUCIÓN

EL ORIGEN: SAN FRANCISCO

En la fría Nochebuena de 1223, san Francisco de Asís decidió celebrar una misa muy especial para recordar el nacimiento de Jesús. Para ello, eligió una pequeña cueva cercana a la ermita de Greccio (Italia) y allí situó una mula y un buey auténticos, así como un pesebre vacío que utilizó como altar. De esa manera, quería reproducir el ambiente en el que, según los Evangelios, se produjo la llegada al mundo de Jesús, y recordar a los allí presentes la pobreza y la humildad que siempre rodearon a Cristo a lo largo de su vida, desde el momento en que nació.

Según la tradición, san Francisco predicó tan bien aquella noche que los asistentes a la misa lloraron de emoción, y algunos incluso creyeron ver a un niño dormido en el pesebre, al que san Francisco, en un momento dado de la ceremonia, habría cogido en brazos. Estas reacciones forman parte de la leyenda, pero lo cierto es que aquella noche se instauró una tradición que los frailes franciscanos extendieron primero por Italia y luego por el resto del mundo cristiano, y que consistía en representar el nacimiento de Cristo bien con personas, bien con figuras de madera, cera o arcilla.

Sin embargo, mucho antes del siglo XIII ya existían en el mundo cristiano representaciones del nacimiento de Jesús. Una de las más antiguas, del siglo IV, se encontró en

las catacumbas de la iglesia de San Sebastián, en Roma, y en ella aparecen ya las figuras de la mula y el buey. La tradición que asocia a estos animales con el nacimiento de Cristo no procede de los Evangelios canónicos, pero al parecer se encontraba ya muy extendida en la Iglesia primitiva.

Algunos historiadores relacionan las primeras representaciones del belén con el culto romano a los lares, o dioses del hogar, que se realizaba también mediante pequeñas figuras de arcilla.

EL BELÉN A LO LARGO DE LA HISTORIA

A partir del siglo XIV los monjes franciscanos difundieron la costumbre de colocar en las iglesias una representación de la escena del nacimiento de Cristo durante las fiestas de Navidad. Poco a poco, la costumbre fue adoptada también por los nobles, que hacían montar un belén en su casa, y más tarde se extendió al resto de la población.

En el siglo XV la tradición belenista ya se había extendido por toda Europa, pero el movimiento religioso de la Reforma llevó a algunos países a rechazar este tipo de representaciones, que se consideraban frívolas. Ese es el motivo de que el belén no forme parte de las tradiciones navideñas en los países protestantes. En cambio, la costumbre se mantuvo en Italia, España, Francia, Polonia, Austria y algunas regiones de Alemania, y también en toda Latinoamérica, donde las representaciones del belén se utilizaron como un método de evangelización para difundir el cristianismo entre las poblaciones indígenas. Para ello se incorporaron al belén plantas autóctonas y otros elementos reconocibles para los habitantes del Nuevo Mundo.

La fabricación artesanal de figuras para el belén está documentada desde el siglo XV. Existían talleres que realizaban estas figuras en muchas regiones de Europa. Entre los más conocidos se encontraban los talleres de Nápoles.

En España, parece que la costumbre de montar belenes en los hogares ya estaba bien asentada en el siglo XVII . Prueba de ello

BELENES: TRADICIONES CURIOSAS

En algunas zonas del mundo existen costumbres muy curiosas relacionadas con el belén. Por ejemplo, en la Provenza francesa es costumbre colocar en el belén unas figurillas de barro llamadas *santons* que representan los distintos oficios tradicionales de la región.

En Cataluña es frecuente que los belenes introduzcan una figura llamada *caganer*, que representa a un personaje defecando (una especie de broma incluida en la representación) En Canarias y en muchos países latinoamericanos (México, Perú, Venezuela, Argentina, Ecuador, Colombia, Guatemala o El Salvador), se monta primero el belén, pero sin colocar la figura del Niño Jesús. La colocación de la figura del Niño se realiza en Nochebuena mediante una ceremonia llamada «El arrullo», en la que dos de los presentes hacen de padrinos del Niño y le cantan villancicos mientras lo colocan entre María y José. En la ceremonia, todos los participantes besan al Niño y brindan por él.

es que en el inventario de bienes del célebre escritor Lope de Vega se mencionan unas figurillas pertenecientes a su belén. Los principales centros de producción de figuras para el belén se encontraban en Murcia y Cataluña. Algunos de los artesanos más destacados en la realización de estas figuras fueron escultores como Salzillo y Luisa Roldán (conocida popularmente como «La Roldana»). La *Fira de santa Llúcia* de Barcelona, dedicada a la venta de figuras y objetos para el belén, se celebra desde el siglo XVIII. En la actualidad, aún existen artesanos belenistas de importancia internacional en Murcia, Cataluña y Andalucía.

TIPOS DE BELENES

Los belenes se pueden clasificar según su estructura en *abiertos* y *cerrados*. Son belenes abiertos aquellos que se extienden sobre una superficie amplia sin ningún límite en la parte superior, y cerrados aquellos que se montan en el interior de una estructura que les sirve de marco, como un cajón, armario o retablo.

En función de la ambientación del belén, podemos distinguir entre *belenes bíblicos, belenes regionales* y *belenes modernos.* Los belenes bíblicos intentan reproducir en las figuras y el paisaje el ambiente de Palestina en la época en que nació Jesús. Los belenes regionales muestran figuras vestidas con ropas de una región y época que no tienen nada que ver con la antigua Palestina, por ejemplo el Nápoles del siglo XVII, la Francia del siglo XIX, o distintas regiones de Latinoamérica. Los belenes modernos utilizan técnicas y estilos del arte contemporáneo, así como una gran variedad de materiales.

Por último, según las características de las figuras, podemos distinguir entre *belenes fijos* (aquellos en los que las figuras no se mueven) y *belenes móviles* (aquellos que presentan algunas figuras mecánicas). Un tipo especial de belenes serían los *belenes monumentales,* formados por figuras de tamaño natural.

¿CUÁNDO SE DESMONTA EL BELÉN?

La fecha que establece la tradición es el 2 de febrero, festividad de la Candelaria. Aunque en la mayoría de las casas se desmonta al finalizar las fiestas navideñas.

En Perú se celebra una ceremonia especial. Tiene lugar el 6 de enero y se conoce como la «Bajada de los Reyes». Es un ritual que se realiza no solo en las casas, sino incluso en las empresas e instituciones, y consiste en ir desmontando una a una las figuras del nacimiento. Se nombra un padrino para cada figura, y este, al retirarla, deja una cantidad de dinero para el montaje del belén al año siguiente.

LA ARTESANÍA BELENISTA

La tradición del belén dio origen, a partir del Renacimiento, a distintas escuelas de artesanos especializados en producir las figurillas y arquitecturas para estos espectaculares montajes navideños. Estas son algunas de las escuelas más famosas.

LA ESCUELA NAPOLITANA

Surgió en el siglo XV pero vivió su momento de máximo esplendor en el siglo XVIII, gracias a la afición del rey Carlos VII (el que luego se convertiría en Carlos III de España) por los belenes. Los belenes napolitanos, como el de la imagen, se caracterizan por sus espectaculares decorados, donde suele haber una zona de ruinas romanas y otra zona urbana con representaciones de viviendas, posadas y tabernas. Las figuras humanas se conocen como *pastori*, sean pastores o no, y son maniquíes de madera con cabeza y tronco tallados en una sola pieza y brazos y piernas articulados, lujosamente vestidos con telas y toda clase de adornos. También hay otras figuras llamadas *academias* que suelen representar ángeles o niños. A diferencia de los *pastori*, las *academias* se tallan vestidas, de una sola pieza.

LA ESCUELA CATALANA

La tradición belenista se difunde en Cataluña a partir de la segunda mitad del siglo XVIII, con grandes artesanos como Ramón Amadeu, con sus figuras de barro cocido, en las que retrataba los rostros de su mujer y de sus hijas. Su estilo sirvió de inspiración a otros belenistas, como Campeny o Talarn Ribot. La escuela de Olot se especializó en figuras de estilo hebreo, con indumentarias beduinas y Reyes Magos a caballo. A finales del siglo XX se crearon talleres que producen las figuras mediante moldes, pero aún quedan escultores que las trabajan artesanalmente, como Mayans, Teixidor o los Vallmitjana, entre otros.

LA ESCUELA MURCIANA

Los belenes murcianos son verdaderas joyas artesanales producidas por escultores que trabajan a mano cada figura. Son siempre de barro cocido y de estilo barroco, y a menudo se inspiran en la obra del escultor Salzillo. Algunos de los belenistas murcianos actuales son José García Martínez, Andrés Bolarín, Patricio Aranda Peñalver, Elías Martínez, Jesús Ramírez, Perico Henández Gómez, Gregorio Molera Toral, Mariano Valera (estilo hebreo), Juan Antonio Mirete Rubio, el maestro Policarpo y Manuel Jiménez Oviedo.

LA ESCUELA PROVENZAL

Los belenes provenzales (de la Provenza, antigua región del sur de Francia) están muy influidos por los napolitanos, y vivieron su época de máximo esplendor en el siglo XVIII. Se caracterizan por sus figuritas de madera con las manos y el rostro de arcilla cocida o de cera. Aún pueden contemplarse algunos de estos belenes en las iglesias de Marsella, Aix y Avignon. En la misma época se pusieron de moda en esta región los belenes mecánicos y parlantes. Algunos de ellos parecían auténticos teatrillos de marionetas. Los belenes desaparecieron con la Revolución francesa, pero volvieron a difundirse en la época de Napoleón Bonaparte. Fue en esos años, a principios del siglo XIX, cuando el artesano Jean Louis Lagnel inventó los *santons,* figuras de arcilla hechas con moldes y que, por lo tanto, resultaban muy baratas. Este invento hizo posible que hasta las familias más humildes montaran en casa su propio belén. Bajo estas líneas, podemos ver un belén de la localidad de Allauch, Marsella.

BELENES FAMOSOS

BELÉN DE LAGUARDIA (ÁVILA)

El belén de la iglesia de Santa María de los Reyes en Laguardia (junto a estas líneas, a la derecha) es uno de los más famosos de España. Se trata de un belén barroco compuesto por setenta y tres piezas, muchas de ellas articuladas o provistas de sencillos resortes que las dotan de movimiento para escenificar distintos momentos de la infancia de Jesús.

BELÉN DE LA FLORIDA (VITORIA)

Cada año, en el parque de La Florida de Vitoria-Gasteiz, se instala un belén monumental (junto a estas líneas, a la derecha) con más de trescientas figuras de tamaño natural. Este belén se inauguró en 1962, y cada año se enriquece con figuras nuevas compradas con la recaudación del año anterior.

BELÉN DEL PALACIO DE ORIENTE (MADRID)

El belén del Palacio Real de Madrid es conocido como «El belén del Príncipe», ya que fue encargado por el rey Carlos III para su hijo, el que más tarde se convertiría en Carlos IV. Es un belén napolitano y está formado por las figuras originales del siglo XVIII además de algunas arquitecturas y numerosas piezas adicionales que componen espectaculares escenografías.

BELÉN DE CEREZALES (LEÓN).

El belén de Cerezales se montó por primera vez en 1980, y fue tan bien acogido que desde entonces ha ido creciendo año a año. En la actualidad, cuenta con gran cantidad de figuras móviles y curiosos efectos especiales, desde el humo de las fogatas a las estrellas de fibra óptica, así como los sonidos de todos los animales presentes en la representación. En la imagen (a la izquierda) se puede apreciar la complejidad de este espectacular belén.

EL TIRISITI (ALCOY, ALICANTE)

El «belén de Tirisiti» es un montaje teatral con títeres que representa escenas del nacimiento de Jesús. Es una tradición que se repite en Alcoy desde el siglo XIX, y combina motivos típicos del belenismo español con otros de carácter local, como la célebre cabalgata alcoyana de los Reyes Magos, y las fiestas de moros y cristianos. La representación se realiza mezclando valenciano y castellano, e incorpora cada año algunas alusiones a temas de actualidad. Junto a estas líneas, puede verse una escena de este singular montaje.

UN CONCURSO DE BELENES

En Jerez de la Frontera (Cádiz) se celebra cada año un espectacular concurso de belenes o «nacimientos», como también se les llama. En él participan tanto familias y entidades privadas como belenistas profesionales. La afición al belenismo en Jerez ha hecho que desde 2011 exista en esta localidad un Museo del Belén donde se expone de manera permanente un belén monumental con efectos de luz y sonido, así como un belén napolitano de grandes dimensiones.

MUSEO DE BELENES (ALICANTE)

Para todos aquellos que no quieran esperar a la Navidad para disfrutar de los belenes, existen lugares donde están expuestos todo el año. Es el caso del Museo de Belenes de Alicante. Creado en 1997 por la Asociación de Belenistas alicantina, bajo el patrocinio del Ayuntamiento de la ciudad, el museo alberga la exposición permanente de figuras y composiciones de belenes no solo españoles, sino también del resto de Europa, así como de África, América o Asia.

BELÉN DEL MUSEO SALZILLO (MURCIA)

Otro belén que se puede disfrutar todo el año es el del Museo Salzillo de Murcia. Fue realizado por el taller del escultor barroco Francisco Salzillo (1707-1783) para el noble murciano Jesualdo Riquelme y Fontes entre 1776 y 1783. Las figuras tienen unos 30 cm de altura y hay 553 en total, la mayoría de barro, aunque algunas son de madera con telas encoladas. Las figuras principales fueron realizadas por el propio Salzillo, y el resto por su discípulo Roque López.

BELÉN DE ARENA DE LA PLAYA DE LAS CANTERAS (LAS PALMAS DE GRAN CANARIA)

Uno de los belenes más curiosos y espectaculares del mundo es el que se monta en la playa de las Canteras en Las Palmas de Gran Canaria, ya que está esculpido en arena. Cada año intervienen diferentes artistas en su elaboración, de modo que el resultado es muy distinto de una Navidad a otra.

BELENES VIVIENTES

El primer belén creado por san Francisco de Asís no presentaba figuras de arcilla o de madera, sino animales de verdad. Era, por lo tanto, un belén viviente. Las representaciones del nacimiento de Jesús mediante personas disfrazadas, animales vivos y decorados existe, pues, desde la Edad Media. En España, aún se conserva esta costumbre en numerosas localidades. Estos son algunos de los belenes vivientes más famosos de nuestro país.

BELÉN DE BUITRAGO DE LOZOYA (MADRID)

Este belén, que se representa desde 1988, entronca con la tradición de la «pastorela», una antigua danza pastoril castellana que se celebra durante la misa del gallo y está documentada desde el siglo XIII. El belén de Buitrago se despliega por todo el recinto amurallado de la ciudad y cuenta con más de doscientos actores. En las fotografías, arriba, podemos ver dos escenas sobre el oficio de carpintero.

BELÉN DE ARCOS DE LA FRONTERA (CÁDIZ)

Se representa desde 1971, y es quizá el belén viviente más famoso de Andalucía. Miles de turistas acuden a verlo, ya que el belén transforma todo el pueblo de Arcos, convirtiéndolo por unas horas en una aldea de la antigua Judea llena de personajes disfrazados.

BELÉN DE PERALTA (NAVARRA)

Cada 28 de diciembre, día de los Santos Inocentes, se representa un auto de Navidad frente al pórtico de la iglesia de San Juan (en la imagen, a la derecha), y después toda la localidad se convierte en un belén viviente en el que participan más de seiscientas personas. Los vecinos ceden objetos, muebles y hasta parte de sus casas para la representación.

BELÉN DE LOS OFICIOS OLVIDADOS (SANT GUIM DE LA PLANA, LLEIDA)

En el marco medieval del pueblo de Sant Guim se representa cada año un belén (en la imagen, abajo) que pone el acento en los oficios tradicionales, con utensilios auténticos típicos de cada oficio rescatados para la ocasión. Algunos de los oficios representados son la cestería, la fabricación de vino y queso o la confección de tejidos en un telar.

BELÉN DE LAS CORDERADAS DE CASTROPONCE (VALLADOLID)

Las corderadas son una especie de autos de Navidad que se celebraban en la comarca de Tierra de Campos desde la Edad Media. La emigración a las ciudades puso fin a esta costumbre a mediados del siglo XX, pero en Castroponce la han recuperado. La representación se hace en Nochebuena, después de la misa del gallo.

CÓMO MONTAR EL BELÉN

1. Elaborar un boceto y una lista de los elementos y figuras del belén.
Antes de empezar a montar el belén, haz un boceto indicando dónde vas a situar cada elemento. Lo ideal es colocar las figuras y casas más grandes delante y las más pequeñas detrás, para dar una sensación de perspectiva. Piensa también que el portal tiene que ser el centro de todas las miradas, y que de él debe partir el camino de los Reyes Magos.

Otros elementos que suelen incluirse en el belén son el desierto, el castillo de Herodes, un río con un puente y montañas. Si el belén está apoyado contra una pared, puedes cubrir esta con un papel que simule el cielo estrellado o con un paisaje de fondo.

2. Definir y preparar el espacio donde vamos a montar el belén.
Prepara la superficie donde vas a colocar el belén. Si es una mesa, puedes forrarla con plástico para que no se estropee, o bien situar encima una plancha de madera.

3. Colocar las montañas y el musgo.
Las montañas se pueden hacer con corcho natural o, si eres mañoso, con una armazón de porexpán cubierta de telas arrugadas que a su vez se endurecen con escayola y se pintan. También puedes comprar una cartulina especial para crear montañas en un mercadillo de Navidad o una tienda de belenismo.

La mayor parte de la superficie del belén suele simular una pradera, y por tanto es buena idea cubrirla de musgo. Puede adquirirse a buen precio en cualquier mercadillo de Navidad, y es mejor que arrancarlo de un espacio natural, ya que algunas especies de musgo están protegidas.

4. Situar el portal, el río y el camino.
El camino se hace con arena o serrín (incluso puedes utilizar pan rallado), y el río puede realizarse con diferentes materiales. Aquí tienes algunas ideas:

✴ *Río de papel de aluminio:* es el más sencillo, consiste en crear una tira larga y arrugada de papel de aluminio para simular el brillo del agua, y hundirla entre el musgo, que formará el cauce.

✴ *Río de gel:* existen geles sintéticos que se pueden situar en un cauce de corcho sintético o porexpán pintado. Pueden adquirirse en mercadillos de Navidad o tiendas de belenismo, pero procura colocarlos en el último momento, ya que estos geles se deshidratan enseguida.

✴ *Río de agua auténtica:* si el belén es lo bastante grande, se puede adquirir un lecho y un motor hidráulico y usar agua de verdad para montar el río. Hay que asegurarse de aislar bien toda la estructura para que no haya fugas que puedan estropear las figuras.

5. Colocar otros elementos y edificios del belén.

Coloca el resto de las casas y edificios del belén, así como los árboles y el pozo.

Busca un lugar destacado para el castillo de Herodes. Una buena idea para diferenciar esa zona del resto puede ser situarlo en medio de un pequeño desierto de arena con palmeras.

Si hay algún edificio que tenga un motor o luces, disimula sus cables por debajo del musgo o la arena, o bien pásalos por detrás de las montañas.

6. Situar las figuras principales y distribuir el resto.

Coloca las figuras. Empieza por el misterio (la Virgen, san José y el Niño, así como la mula y el buey) que deben ir dentro del portal o delante de él.

A continuación sitúa los Reyes Magos en el camino, luego al grupo de la Anunciación (el ángel y los pastores en torno a una hoguera), y después a Herodes y sus soldados.

El resto de las figuras puedes distribuirlas a tu gusto.

7. Dar los últimos detalles al montaje.

Coloca los úlimos detalles: animales dentro de un corral, balas de paja en el portal, aperos de labranza, cestas y otros objetos.

Puedes añadir un espray de nieve artificial a las montañas, o simular la nieve con un poco de harina.

8. Los efectos de luces y movimiento.

Para terminar, puedes incluir en el belén algunos efectos de luz y movimiento. Por ejemplo puedes colocar una guirnalda de luces alrededor del belén, o un foco principal de luz en el portal. Otra posibilidad es situar sobre el portal una estrella luminosa, para representar la estrella que guio a los Reyes Magos.

Si alguno de los edificios tiene movimiento o luz (por ejemplo, una fogata con una bombilla, o un molino cuyas aspas se mueven) hay que conectar los cables a un enchufe, disimulándolos por debajo del musgo o por detrás de las montañas.

HAZ TUS PROPIAS FIGURAS

BELÉN DE PLASTILINA

Materiales

Plastilina de diferentes colores, limpiapipas dorado o plateado, tijeras, rodillo y cuchillo de plástico, algodón.

Cómo se hace:

✳ Para empezar, haz varias bolas de plastilina de color rosa o carne, que serán las caras de los personajes.

✳ Después, haz el cuerpo de cada personaje creando un huevo de plastilina de tamaño un poco más grande que la cara.

* Para el pelo, las túnicas o los pañuelos de la cabeza, aplasta la plastilina con un rodillo hasta que quede muy fina, y después corta con el cuchillo un trozo del tamaño que necesites y pégalo a la cabeza o al cuerpo del personaje sin apretar mucho.

* Pega en las caras una pequeña bolita rosa para la nariz y una fina tira de plastilina roja para la boca. Para los ojos, pega en sus caras dos bolitas de plastilina blanca aplastada. Dentro de cada una de ellas pega una bolita de plastilina negra aún más pequeña.

* Para hacer las aureolas de san José, La Virgen, el Niño y los ángeles, corta un trozo de un limpiapipas plateado o dorado, cúrvalo formando un anillo abierto y clava los extremos a los lados de la cabeza del personaje.

* Para hacer ovejas, haz un cilindro grueso de plastilina blanca, y cuatro cilindros cortos y más delgados para las patas. En el extremo de cada pata pega un poco de plastilina negra simulando las pezuñas. Para la cara, haz una esfera de plastilina blanca o negra y pégale las orejas, los ojos y los hocicos. Puedes dibujar la lana con el cuchillo de plástico sobre la plastilina, o pegando un poco de algodón.

* Cuando termines de hacer las figuras, monta el decorado con musgo, arena para el camino y un portal que puedes fabricar con una caja de cartón pintada.

BELÉN DE CARTULINA

Materiales

Cartulina blanca y de colores, papel dorado, pinturas, rotuladores, lápiz, tijeras y pegamento de barra.

Cómo se hace:

* Dibuja a los personajes del belén en una cartulina, procurando que sean bastante anchos en la base, y marcando debajo de cada base un rectángulo bastante alto.
* Colorea las figuras y pégales algún detalle de cartulina de otro color o de papel dorado.
* Recorta las figuras con el rectángulo de la base.
* Haz dos cortes verticales en el rectángulo de la base para dividirlo en tres lengüetas. Dobla la lengüeta del centro hacia delante y las dos lengüetas laterales hacia atrás: así te asegurarás de que la figura se sostenga.
* Para hacer las casas, puedes aprovechar envases de cartón y forrarlos de cartulina de colores o pintarlos. Haz los tejados con un rectángulo de cartulina roja doblado por la mitad, en forma de pico.
* Puedes pegar las figuras en una cartulina grande y a su alrededor pegar el río, los caminos, el portal, otros edificios y musgo artificial para darle un aspecto más realista.

BELÉN DE MATERIALES RECICLADOS

Materiales

Vasos de plástico pequeños, huevos, trozos de telas viejas, calcetines y medias viejos, hebras de lana, tijeras, pegamento, bastoncillos para los oídos, rotuladores, gomas elásticas, granos de arroz, algodón, cartulina, aguja de lana.

Cómo se hace:

* Primero, haz en cada extremo del huevo un orificio con una aguja de lana, y sopla por él hasta vaciarlo. Lávalo bajo el grifo para evitar el mal olor.
* Cada huevo será la cabeza de un personaje. Para hacer los cuerpos, llena un vaso de plástico de arroz y pégalo por la parte de arriba al huevo.
* Para hacer las ropas de los personajes, recorta un rectángulo de tela y forra con él el vaso, sujetando la tela con una goma elástica. También puedes forrar el vaso con un trozo de calcetín.
* Para hacer el pelo, usa hebras de lana o un poco de algodón. Sobre el pelo puedes pegar otro rectángulo de tela como si fuera un pañuelo, o hacer un turbante con la punta de un calcetín viejo.
* Pinta la cara del personaje con rotuladores.
* Para hacer las ovejas, usa bolas de algodón a las que puedes ponerles ojos y orejas de cartulina. Haz las patas con bastoncillos para los oídos.
* Para hacer el buey, mete un huevo vacío en el interior de un calcetín negro o gris, haz un nudo por detrás del huevo que simulará la cola y corta lo que sobre de la media. Colócale unos cuernos y unos ojos de cartulina. Puedes añadirle unas patas de plastilina.
* Para hacer la mula, repite la misma operación pero con un calcetín marrón. Haz las orejas de la mula con cartulina, y también sus ojos.
* Coloca todos los personajes dentro de una caja grande de cartón con musgo artificial… ¡y ya tienes tu belén de materiales reciclados!

CAPÍTULO IV

ADORNOS TRADICIONALES

EL ACEBO

Una de las plantas navideñas por excelencia es el acebo. Con sus hojas oscuras de borde espinoso y sus vistosos frutos rojos, que florecen en invierno, se ha convertido en una decoración habitual de estas fiestas, y a menudo aparece dibujado en las postales de Navidad y los calendarios de Adviento.

Pero el uso del acebo como adorno invernal es anterior al cristianismo. Ya los druidas consideraban estaba planta como un árbol sagrado, y los romanos la asociaban con el dios Saturno, cuyas fiestas, llamadas Saturnales, se celebraban precisamente a finales de diciembre, y culminaban en el festival del *Sol Invictus,* el 25 de diciembre.

UNA ESPECIE PROTEGIDA

El nombre científico del acebo es *Ilex aquifolium.* Esta planta crece silvestre en algunos bosques de nuestro país, en forma de árbol o de arbusto. Podemos encontrarla, por ejemplo, en numerosos puntos de la cordillera Cantábrica, así como en la sierra del Moncayo (Aragón) o en el Montseny (Cataluña).

En España y en muchos otros países de Europa el acebo es una especie protegida. Si encontramos un ejemplar de esta planta, debemos respetarlo y no arrancarle ni una sola rama, ya que además de ser algo ilegal, estaríamos poniendo en peligro la supervivencia de la especie. Para disfrutar de esta planta en nuestras casas durante la Navidad, podemos comprar algunas ramas de vivero en floristerías o mercadillos navideños con autorización para venderlas.

Otra alternativa es cultivar en casa nuestro propio acebo. Se puede adquirir un ejemplar en un vivero y plantarlo en nuestra terraza o jardín. Es una planta de exterior, que requiere un ambiente húmedo y sombreado. Si la cultivamos en casa, podremos arrancarle alguna ramita cada Navidad para las decoraciones navideñas.

LA LEYENDA DEL REY ROBLE Y EL REY ACEBO

Una antigua leyenda europea cuenta la eterna rivalidad entre estos dos árboles majestuosos.

El rey Roble y el rey Acebo luchan por dominar al otro, y se alternan en el poder a medida que pasan las estaciones: durante la primavera y el verano, el Roble, que es un árbol de hoja caduca, se cubre de un denso follaje y despliega todo su esplendor. Con la llegada del otoño, el Roble pierde sus hojas y cede su poder al rey Acebo, que despliega sus frutos rojos precisamente en esta época del año.

EL MUÉRDAGO

El muérdago es una planta parásita que crece sobre los manzanos y, más raramente, sobre los robles. En invierno produce unos frutos pequeños, redondos y blancos como perlas.

Antes de que se extendiera el cristianismo, el muérdago era considerado una planta sagrada en muchas zonas de Europa. Los druidas celtas apreciaban especialmente el que crecía sobre los robles, y lo cortaban con una hoz de oro el sexto día del año celta, en un ritual para asegurar la germinación del trigo en la siguiente primavera. Se consideraba que esta planta era un talismán que curaba las heridas y neutralizaba los venenos, e incluso se creía que permitía ver y oír a los fantasmas.

En Francia y en los países anglosajones aún se conserva la costumbre de adornar las casas con unas ramitas de muérdago durante la Navidad. Según la tradición, el muérdago debe cortarse poco antes de las fiestas navideñas y, sin que llegue a rozar el suelo, debe colgarse sobre una puerta. Se considera que besarse bajo el muérdago en la noche de Fin de Año trae buena suerte. En algunas regiones de Europa era costumbre dejar el muérdago colgado durante todo el año para proteger la casa de posibles incendios, y sustituirlo por una rama nueva en Nochebuena.

LA LEYENDA DE BALDER

Una de las leyendas más célebres de la mitología Nórdica es la del dios Balder y el muérdago.

Balder era el dios del sol del verano. Una noche tuvo un sueño en el que moría, y cuando se lo contó a su madre, la diosa Frigga, esta se alarmó mucho. Para proteger a su hijo, Frigga fue a ver al agua, al fuego, al aire y a la tierra, y les hizo jurar que nunca harían daño a su hijo. Después exigió el mismo juramento a todos los animales y plantas que vivían sobre la tierra.

Pero había una planta que no crecía sobre la tierra, sino sobre las ramas de los manzanos y los robles: era el muérdago. Esta planta fue la única que Frigga olvidó en su empeño de proteger a Balder.

Loki, el dios del mal, conocía este secreto. Como deseaba la muerte de Balder, fabricó una flecha con la punta hecha de muérdago. Luego entregó la flecha al dios ciego del invierno, Hoder, y le indicó hacia dónde debía dispararla. La flecha se clavó en el cuerpo de Balder… y así fue como el dios del invierno mató al dios del verano.

Cuando Balder murió, el cielo se volvió pálido, y todas las criaturas en el cielo y en la tierra lloraron por él. Durante tres días, cada elemento trató de devolverle la vida al dios sol, pero ninguno de esos intentos dio resultado. Las lágrimas de Frigga se convirtieron en las bayas blancas del muérdago; y desde entonces, dioses y hombres consideraron a este humilde arbusto como una planta sagrada.

LA FLOR DE PASCUA

La flor de Pascua es una planta que se utiliza a menudo como decoración navideña.

Procede de América Central, y se caracteriza por sus grandes hojas de color verde oscuro y sus inflorescencias amarillas. En su parte superior tiene unas llamativas hojas de color rojo que a menudo se confunden con flores.

Esta planta empezó a utilizarse como adorno navideño en las iglesias mexicanas durante la época colonial.

Su utilización se extendió al resto del mundo durante el siglo XIX gracias a un hombre llamado Joel Roberts Poinsett, que fue el primer embajador estadounidense en México. Poinsett poseía plantaciones con grandes invernaderos en Carolina del Sur, y fue el primero en importar esta planta desde México para cultivarla y regalarla a amigos e instituciones. Por eso, la flor de Pascua recibe en muchos lugares el nombre de ponsetia.

La flor de Pascua florece en invierno, pero actualmente se comercializa durante todo el año. Uno de los principales países productores de esta planta es Guatemala, donde se cultivan alrededor de ochenta y cinco variedades diferentes que varían en cuanto a su forma, tamaño y color.

CÓMO CUIDAR LA FLOR DE PASCUA

La flor de Pascua es una planta bastante delicada. Estos son algunos consejos para conseguir que se mantenga en buen estado:

1. Cómprala envuelta en un plástico, ya que es muy sensible a los cambios de temperatura y debes protegerla del frío exterior. Una vez en casa, puedes quitarle el envoltorio.
2. Mantenla a una temperatura de unos 21 ºC, alejada de las corrientes de aire y en un lugar donde le dé el sol.
3. Para regarla, cada dos días déjala unos quince minutos sobre un plato con agua. También puedes rociar con agua las hojas.
4. Para conservarla después de las fiestas navideñas, puedes sacarla al jardín, aunque tendrás que asegurarte de protegerla frente a las heladas.

EL ORIGEN DE LA FLOR DE PASCUA: UNA LEYENDA MEXICANA

Había una vez una muchacha mexicana que se llamaba María y era muy pobre. Cuando llegó el día de Nochebuena, de camino a la iglesia, María se sentía muy triste porque no tenía nada que llevarle al Niño Jesús para la misa del gallo. Como no quería llegar a la iglesia con las manos vacías, María pensó en recoger algunas flores por el camino. Pero era invierno, y por más que buscó no pudo encontrar ninguna flor.

Al final, como no había flores por ninguna parte, la pobre muchacha decidió coger una planta de grandes hojas oscuras que crecía al borde del sendero por el que caminaba. No era demasiado vistosa, pero María pensó que al menos serviría para alegrar con su verdor el altar del Niño Jesús.

Sin embargo, cuando María colocó su ramo en el altar, las hojas superiores de la planta se volvieron de un intenso color rojo. Todos los que estaban en la iglesia se quedaron maravillados, y se dieron cuenta de que habían contemplado un milagro. Desde entonces, aquella planta se llama «flor de Nochebuena» o «flor de Pascua».

CALCETINES PARA PAPÁ NOEL

Una costumbre extendida en muchos países del norte de Europa y en Estados Unidos es la de colgar calcetines vacíos como decoraciones de Navidad, para que Santa Claus pueda llenarlos de regalos.

En un principio, los niños colgaban calcetines corrientes de la chimenea con la esperanza de que san Nicolás o Papá Noel (o Santa Claus en los países anglófilos) los llenasen de regalos, pero actualmente se fabrican calcetines especiales muy llamativos y adornados que han sustituido a los calcetines normales como adornos navideños.

CÓMO FABRICAR TUS PROPIOS CALCETINES DECORATIVOS

Materiales

Fieltro rojo y verde, hilo grueso rojo y verde, aguja, tijeras, algodón, lazos llamativos, purpurina o lentejuelas, alfileres.

Cómo se hace:

1. Dibuja un calcetín grande en papel de seda o papel vegetal.
2. Sujétalo al fieltro rojo y recorta alrededor.
3. Repite la operación con el fieltro verde.
4. Cose por el contorno la parte verde y la parte roja que has recortado. No cosas la parte de arriba del calcetín.
5. Decora el borde superior del calcetín pegando algodón blanco.
6. Decora el resto del calcetín pegando o cosiendo lazos u otros adornos, o dibujar estrellas y corazones con un tubo de purpurina.

LA LEYENDA DE SAN NICOLÁS Y LOS CALCETINES DE ORO

Según una antigua leyenda, la tradición de los calcetines navideños se instauró en tiempos de san Nicolás.

En cierta ocasión, al pasar por una aldea, el santo oyó hablar de un hombre muy pobre que tenía tres hijas jóvenes y muy hermosas. El hombre estaba enfermo y no tenía dinero para pagar la dote de sus hijas, por lo que temía que ninguna de ellas pudiese casarse.

San Nicolás averiguó que el hombre era demasiado orgulloso para aceptar limosnas, así que decidió ayudarlo sin que él se enterase. Al anochecer, se acercó a su casa y vio tres calcetines colgados de una ventana. El santo introdujo en cada calcetín una bolsa llena de oro y siguió su camino.

A la mañana siguiente, las tres muchachas encontraron el oro dentro de los calcetines, y gracias a eso pudieron casarse y vivir felices el resto de sus vidas.

DECORAR LAS VENTANAS

Para completar la decoración navideña de nuestra casa, no debemos olvidar las ventanas. Estas son algunas ideas para decorarlas.

PLANTILLAS DE FIGURAS Y ESPRAY DE NIEVE

Materiales

Plantillas de cartulina hechas por ti o compradas, espray *de nieve.*

Cómo se hace:

* Dibuja plantillas en cartulina con las figuras que quieres trasladar a la ventana: pueden ser árboles de Navidad, estrellas de nieve, ángeles o renos.
* Recorta el dibujo que has hecho con cuidado, dejando el marco entero para que nos pueda servir de plantilla.
* Aplica la plantilla a la ventana y rocíala con un espray de nieve. El espray rellenará el hueco de la plantilla.
* También puedes aplicar los dibujos recortados a la ventana y rociarlos con espray alrededor. Quedará la forma del dibujo marcada en el cristal.

SILUETAS DE PAPEL

Materiales

Papel de embalaje, tijeras, cinta adhesiva o pegamento transparente, rotuladores y pinturas, purpurina.

Cómo se hace:

✳ Dibuja en el papel de embalaje todas las casas de un pueblo navideño, o las figuras de un belén, árboles de Navidad, etc.

✳ Colorea las figuras con pinturas y rotuladores. Para que queden más vistosas puedes rociarlas con un espray de purpurina. Debes colorearlas por los dos lados.

✳ Recorta todos los dibujos que has hecho.

✳ Pégalos en la ventana de manera que el pegamento o la cinta adhesiva se noten lo menos posible.

✳ Otra opción es hacer los dibujos en plástico autoadhesivo, que se puede comprar en las papelerías (es el que se usa para forrar libros). Necesitarás rotuladores especiales que puedan pintar sobre plástico para hacer tus dibujos.

LAZOS, BOLAS

Materiales

Cintas o lazos anchos de colores vistosos, bolas de Navidad pequeñas de colores, tarjetas de Navidad, tijeras, pegamento, hilo y aguja, rectángulo de cartón.

Cómo se hace:

* Pega o cose una bola o una tarjeta a cada cinta.
* Pega todas las cintas al rectángulo de cartón por uno de sus extremos.
* Sujeta el cartón por encima de la ventana, de manera que las cintas cuelguen sobre los cristales y se vean por fuera y por dentro. Si el cartón es muy visible en el interior, decóralo con motivos navideños o cúbrelo con un papel de regalo de Navidad para que quede más bonito.

CENTROS DE MESA Y OTROS DETALLES DECORATIVOS

Durante las cenas y comidas navideñas es tradicional decorar las mesas con centros de mesa. Estos centros se pueden comprar ya preparados en tiendas de decoración o floristerías, pero también resulta muy fácil crearlos en casa. Aquí tienes algunos ejemplos:

CENTRO DE RAMAS

Materiales

Piñas, bolas de Navidad, un cuenco de cristal grande, una vela roja gruesa.

Cómo se hace:

* Recoge algunas piñas medianas y grandes de un parque. Elige las que tengan la forma más bonita.
* Puedes dejarlas con su color natural o decorarlas con purpurina.
* Elige un cuenco de cristal grande (una fuente o un frutero, por ejemplo).
* Dentro del cuenco, distribuye las piñas mezcladas con bolas de Navidad de un solo color (por ejemplo rojo).
* Si quieres, puedes completar tu centro colocando en el medio de las piñas y las bolas de Navidad una vela gruesa de color rojo.

CENTRO DE RAMAS Y CANDELABRO

Materiales

Espuma floral (se compra en floristerías), ramas de pino o de abeto, ramitas de acebo naturales o artificiales, piñas pequeñas, bolas de Navidad pequeñas, un plato hondo, un candelabro de cristal.

Cómo se hace:

* Pega la espuma floral a la base del plato hondo y déjala secar.
* Inserta el candelabro de cristal en el centro de la espuma, presionando lo suficiente para que quede bien encajado.
* Vierte agua sobre la espuma floral hasta que esté saturada.
* Inserta las ramas más largas en el borde exterior de la espuma, las ramas medianas en la parte del medio y las ramas cortas justo alrededor del candelabro. Unas ramas deben superponerse a otras, cubriendo toda la espuma floral.
* Inserta algunas ramitas de acebo natural o artificial en la espuma, luego inserta algunas piñas pequeñas en la espuma, entremezclándolas con las ramas,
* Añade un toque de color distribuyendo algunas bolas de Navidad pequeñas entre las ramas.
* Coloca una vela roja en el candelabro.

OTROS DETALLES DECORATIVOS

Ramas con luces: Puedes escoger una rama sin hojas de un arbusto, colocarla en un jarrón y decorarla con una guirnalda de luces decorativas. Si colocas varios jarrones así por toda la casa tendrás unos adornos muy vistosos.

Guirnaldas: Puedes comprar guirnaldas de ramas de abeto o acebo, tanto naturales como artificiales. O bien puedes confeccionarlas haciendo un círculo con un alambre y sujetando con hilos de cobre o alambres finos las ramas y piñas a su alrededor. Las guirnaldas son estupendas para decorar puertas y ventanas.

Tarjetas de Navidad: Puedes colgar tarjetas de Navidad con pinzas de colores de una cinta larga, y usarla como si fuera una guirnalda para decorar una pared, una chimenea o una ventana.

Recipientes transparentes con bolas: Puedes rellenar jarrones cilíndricos de cristal de distintos tamaños con bolas de Navidad muy pequeñas del mismo color. Puedes distribuir los jarrones por distintas zonas de la casa o colocarlos juntos en una repisa. También puedes probar a rellenarlos con piñas pintadas de color plateado.

EL RAMO LEONÉS

El ramo leonés es un ornamento tradicional de las fiestas navideñas en la provincia de León, y también en algunas zonas rurales de Ávila, Palencia, Zamora y Cantabria. El ramo está formado por una armazón de madera triangular, cuadrada o semicircular, en la que se encajan doce velas que simbolizan los doce meses del año. Esta armazón suele decorarse con encajes, cintas, bordados, rosquillas, piñas, dulces y frutas.

No se conoce el origen de esta costumbre, aunque hay quien lo relaciona con las pastoradas navideñas de la Edad Media.

Esta antigua tradición estuvo a punto de perderse con la despoblación de las zonas rurales durante el siglo xx, pero desde hace algunos años ha vuelto a ponerse de moda en la sociedad leonesa.

CAPÍTULO V

RITUALES Y COSTUMBRES

LA NOCHEBUENA

LA MISA DEL GALLO

La costumbre de celebrar la misa del gallo fue instituida por el papa Sixto III en el siglo V. Este papa adquirió la costumbre de celebrar la víspera de la Navidad con una vigilia nocturna en un pequeño oratorio llamado ad *praesepium*, que significa «ante el pesebre», situado detrás del altar mayor de la basílica de Santa María la Mayor en Roma.

Esta costumbre se mantiene hasta nuestros días, y en muchos lugares como la catedral de Nôtre Dame de París, se trata de un acontecimiento al que acuden miles de personas. Se supone que la misa tiene que celebrarse alrededor de la medianoche, aunque en algunos lugares se celebra un poco antes.

En Cataluña se llama *misa del pollet* («misa del pollito») a una misa del gallo anticipada que se celebra en la tarde del día 24 de diciembre, para que puedan acudir los niños.

La Nochebuena es la fiesta que se celebra la noche del 24 de diciembre, es decir, el día antes de Navidad. Según la tradición cristiana, Jesús nació el 24 de diciembre a medianoche, de ahí el nombre de esta festividad en español.

La Nochebuena es una celebración muy importante en los países de tradición cristiana, tanto entre las familias religiosas como entre las que no lo son.

En muchos lugares del mundo la Nochebuena se celebra con una cena especial en familia, en la que se comen platos típicos de cada región. Las luces del árbol de Navidad permanecen encendidas, y cuando la cena termina se cantan villancicos, se conversa y a veces se juega a juegos de mesa. Se trata de un día en el que los niños suelen tener permiso para irse a la cama más tarde de lo normal. A medianoche, en las iglesias se celebra la tradicional misa del gallo, a la que muchas familias acuden después de la cena.

En aquellos hogares donde hay niños que han escrito una carta a Santa Claus, se dejan los zapatos bajo el árbol de Navidad (o los calcetines colgados de la chimenea o las ventanas) antes de acostarse, para que Santa tenga un lugar donde dejar sus presentes.

LA NOCHEBUENA EN EL MUNDO

ALEMANIA

En Alemania la cena de Nochebuena es sencilla, y suele incluir una ensalada de patata y salchichas, entre otros platos. Antes de la cena, mucha gente acude a una iglesia para asistir a un servicio religioso especial que incluye una representación teatral navideña llamada *Krippenspiel*. En muchos hogares, al regreso de la iglesia los niños esperan en la puerta de la casa hasta que suena una campanita. Es la señal de que los regalos navideños ya han llegado, y cuando la oyen todos entran y se apresuran a abrir los paquetes bajo el árbol de Navidad.

ARGENTINA

En Argentina la Nochebuena llega en pleno verano. Por eso, la cena tradicional suele celebrarse al aire libre, en un jardín o terraza, y a veces consiste en una barbacoa. Algunos platos populares son el pavo asado, los tomates rellenos, y postres como el pan dulce o el *panettone*, de origen italiano. A medianoche se celebran espectáculos de fuegos artificiales. Mucha gente hace «globos», una especie de linternas chinas de papel con una luz dentro que se lanzan al cielo a medianoche.

ESPAÑA

Algunos platos típicos son la lombarda con piñones, la sopa de picadillo, mariscos variados, besugo al horno, cordero, cabrito o cochinillo al horno con patatas; y como postres se sirven turrones, polvorones, mazapanes y mantecados.

FRANCIA

La cena de Nochebuena en Francia se denomina *reveillon de Noël.* Suele ser un festín familiar donde el plato principal es generalmente el pavo asado (a veces sustituido por otras aves). Como entrantes suelen servirse ostras, *foie-gras* o salmón ahumado, y el postre tradicional es el tronco de Navidad. A medianoche, todos los presentes en la fiesta se desean una feliz Navidad. Si en la casa hay un belén, es el momento de añadir la figura del Niño Jesús.

ITALIA

En Italia la cena de Nochebuena se conoce como «Fiesta de los siete pescados», y tradicionalmente se servía después de un período de ayuno de veinticuatro horas. El plato estrella suele ser el bacalao, pero también se sirven pulpo, anguila, gambas, almejas, langosta, calamares, etc.

REINO UNIDO

En el Reino Unido la Nochebuena no se celebra tanto como la Navidad y el *Boxing Day* (día 26 de diciembre). En algunos lugares se celebra un servicio religioso especial, llamado *christingle,* durante el cual cada niño recibe como regalo una naranja con una vela inserta en ella y decorada con un lazo rojo y dulces y frutos secos; la naranja representa el mundo, el lazo la sangre de Cristo, y los frutos y dulces las estaciones, y la vela

representa a Cristo como la luz del mundo. Los *christingles* también se reparten durante la temporada de Adviento. Por la noche, los niños cuelgan sus calcetines especiales de Navidad para que Santa Claus puede dejar en ellos sus regalos.

RUSIA, UCRANIA Y LITUANIA

En estos países es tradicional tomar una cena de doce platos antes de abrir los regalos de Navidad. Este banquete se conoce como «la santa cena», y ninguno de los platos servidos en él puede llevar carne. La mesa se cubre con un mantel blanco que representa los trapos en los que envolvieron a Jesús al nacer, y en el centro se coloca una vela que simboliza a Cristo como la luz del mundo. Junto a ella se coloca una hogaza de pan redonda que representa a Cristo como «pan de vida», y a veces se pone también un poco de heno para simbolizar el pesebre. Los doce platos corresponden a los doce apóstoles.

VENEZUELA

En Venezuela la Nochebuena se celebra al son de los aguinaldos (la música navideña por excelencia que equivale a los villancicos) acompañados de instrumentos tradicionales. En la parte occidental del país la música popular navideña son las llamadas gaitas, interpretadas por grupos de gaiteros. El día 24 se reúnen las familias, se abren los regalos que trae el Niño Jesús y se asiste a la misa del gallo. El plato tradicional son las hallacas, una mezcla de carne, aceitunas, pasas y otros ingredientes que se envuelve en hojas de plátano y se cuece. También es típico el pan de jamón, una masa de harina rellena de tiras de jamón, tocineta (beicon), pasas, pimiento morrón y aceitunas verdes.

EL DÍA DE NAVIDAD

El 25 de diciembre es el día de Navidad, y en buena parte del mundo es una jornada festiva.

En los países donde la celebración de la Nochebuena se prolonga hasta altas horas de la madrugada, la celebración del día de Navidad suele ser menos importante que en aquellos donde la Nochebuena se celebra de manera más sencilla. En todas partes, es tradicional compartir una comida familiar.

Si los pequeños de la casa han escrito a Santa Claus, la Navidad comienza abriendo los regalos que este ha dejado durante la noche. En algunos países Santa Claus deja los regalos en grandes calcetines que parecen sacos navideños, mientras que en otros sitios los deja en los zapatos.

Entre los cristianos, es bastante habitual asistir a misa o algún servicio religioso a lo largo del día. También se puede seguir por televisión la misa de Navidad oficiada por el papa en la basílica de San Pedro, que concluye con la tradicional bendición *Urbi et Orbi* («a la ciudad y al mundo», según una expresión heredada de la Roma Antigua).

Cantar villancicos es otra de las costumbres asociadas a este día. Y durante toda la jornada, suelen mantenerse encendidas las luces del árbol y el resto de las decoraciones navideñas de la casa.

LOS DOCE DÍAS DE NAVIDAD

En el mundo anglosajón se habla a menudo de los doce días de Navidad. Estos doce días comienzan el 25 de diciembre y terminan la noche del 5 de enero, es decir, la víspera de la Epifanía o fiesta de los Reyes Magos. En la Edad Media, estos doce días estaban marcados por continuas celebraciones que llegaban a su punto culminante en la duodécima noche.

Existe un villancico popular inglés que alude a los doce días de la Navidad asociando a cada uno de ellos un símbolo diferente.

LA COMIDA DE NAVIDAD

Cada país celebra la Navidad con platos tradicionales especialmente preparados para estas fiestas. Estos son algunos de los platos que se consumen en Navidad en distintos países.

ALEMANIA

En Navidad, los platos tradicionales son el ganso asado, pato, carpa o cochinillo, acompañados de lombarda o coles de Bruselas. De postre, bizcochos de frutas como el *christstollen* o el *dresdener stollen*.

AUSTRIA

Lo típico es tomar carpa frita, tarta sacher, galletas de Navidad, ganso asado, jamón con vino especiado, ponche y *mousse* de chocolate.

DINAMARCA

Se come cochinillo, pato o ganso con patatas caramelizadas, lombarda y un pudin de arroz llamado *risalamande* que se sirve con salsa de cerezas o fresas, y que a veces lleva una almendra dentro. Para beber, *glogg* (vino especiado) y cervezas especiales de Navidad.

ESPAÑA

Son tradicionales la sopa de marisco, la sopa de almendras, la lombarda con piñones, las almejas, mariscos, cordero, cabrito o cochinillo al horno con patatas; como postres se toman turrones, frutas escarchadas, polvorones, mazapanes y mantecados.

ESTADOS UNIDOS

Los platos típicos en estas fiestas son el pavo asado con puré de patatas y salsa, los pasteles de calabaza o el pudin de ciruelas. En el sur se sirven platos como el pastel de coco y la empanada de boniato.

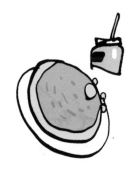

FINLANDIA

Jamón con mostaza, pescado, guisos de patatas y zanahorias y vino especiado.

ITALIA

Un primer plato de pasta (*tortellini* u otra pasta rellena). De segundo, anguila frita en el sur y carne de ave rellena en el norte. De postre, en el norte, el *panettone* (bollo con pasas y fruta confitada) y el *pandoro* (pan dulce con una masa tipo *brioche*); en el sur, los mazapanes y los *cannoli* (especie de cañas o canutillos con diferentes rellenos).

MÉXICO

Son típicos los romeritos (sopa de vegetales con tortas de camarones secas), el bacalao y el pavo relleno. Como postres, ensalada de manzana, buñuelos y champurrado (gelatina con sabor a licor); como bebidas, el rompope (licor de huevo) y el ponche (elaborado con frutas y canela).

PORTUGAL

Lo tradicional es comer bacalao acompañado de patatas, huevos duros, guisantes, cebolla, y los postres típicos del momento: empanadillas rellenas de cabello de ángel, de calabaza, etc.

RUMANÍA

Se suele servir una comida de muchos platos hechos con las diferentes partes del cerdo. Un postre tradicional es el *cozonac*, una especie de gran trenza que se decora con nueces picadas, semillas de amapola, etc.

REINO UNIDO

La comida se compone de pavo relleno acompañado de salsa, patatas asadas y coles de bruselas, pudin de Navidad y otros pasteles dulces y salados.

RECETAS TRADICIONALES

Estas son algunas recetas y dulces típicos navideños de nuestra cocina, fáciles de preparar.

LOMBARDA CON MANZANA Y PIÑONES

Ingredientes (4 personas)
1 col lombarda, 1 manzana golden o reineta
1 puñado de piñones y 1 puñado de pasas de Corinto sin pepitas
2 dientes de ajo y aceite de oliva

Preparación
* Quitamos las hojas exteriores de la lombarda, la partimos en trozos, quitando los tallos blancos; la lavamos y la ponemos a cocer en agua, con sal y un chorrito de aceite de oliva. Cuando esté lista la dejamos escurrir bien.
* En una sartén con 4 cucharadas de aceite de oliva, rehogamos los piñones y las pasas. Cuando las pasas se hinchen, se añade los dientes de ajo picados, y cuando estos empiecen a dorarse agregamos la lombarda. Lo rehogamos todo junto durante 15 minutos.
* Mientras tanto, quitamos el corazón a la manzana sin partirla, y echamos unas gotas de agua en el agujero resultante y la cocemos 3 minutos al 80% de potencia en el microondas. Cuando esté lista, sacamos la pulpa de la manzana y se la añadimos a la lombarda. Si se añade un chorrito de limón, la lombarda adquirirá un bonito color.

SOPA DE ALMENDRAS

Ingredientes (4 personas)
200 gr de pasta de almendras
1 litro de leche fresca entera
pan duro, 4 cucharaditas de piñones
canela en polvo

Preparación
* Calienta la leche y retírala del fuego antes de que hierva.
* Corta la pasta de almendras en trocitos y añádelos a la leche.
* Remueve con una cuchara de madera para mezclar bien la pasta con la leche, sin que queden grumos. (Hay que insistir durante un buen rato para lograrlo).
* Por último, agrega los piñones y unos trozos de pan duro. Remueve bien y, si lo deseas, espolvorea con canela.

BESUGO A LA ESPALDA

Ingredientes (4 personas)
1 besugo grande (se pide al pescadero que nos lo prepare
*   para hacer a la espalda)*
6 dientes de ajo, perejil ,1 guindilla, vinagre, aceite y sal

Preparación
* Se unta el pescado con aceite y se coloca en una besuguera.
* Se precalienta el horno a 180 ºC. Horneamos el besugo entre 20 y 30 minutos, regándolo de cuando en cuando con el jugo que suelta.
* Mientras tanto, se cortan los ajos en láminas y se fríen con la guindilla en un poco de aceite, hasta que estén dorados; se aparta la sartén del fuego, se añade un poco de vinagre y se reserva.
* Cuando el besugo está listo, se saca del horno y se riega con el sofrito de ajo, guindilla y vinagre.

CANELONES DE SAN ESTEBAN

Ingredientes (4 personas)

24-30 láminas de canelones
para el relleno: 750 g de ternera; 750 g de pollo y 750 g de cerdo o butifarra
y 4 hígados de pollo (o una lata de foie-gras*)*
salsa bechamel y 200 g de queso rallado
2 cebollas, aceite, sal y pimienta
1/2 vaso de vino blanco

Preparación

* En una sartén, rehogamos la cebolla junto con la ternera, el pollo y el cerdo o la butifarra. Sazonamos con sal y pimienta, echamos un chorro de aceite de oliva y añadimos los hígados de pollo. Rehogamos tres minutos más y añadimos medio vaso de vino blanco.
* Dejamos enfriar la preparación y trituramos para conseguir un relleno homogéneo.
* Mientras tanto, cocemos las láminas de los canelones siguiendo las instrucciones del paquete (si es precocida, basta con meter las láminas en agua para que se hidraten).
* Rellenamos la pasta con la carne formando rulos, los ponemos en una bandeja de horno, los cubrimos con salsa bechamel, y lo espolvoreamos todo con queso rallado.
* Precalentamos el horno a 185 ºC y metemos los canelones en el horno durante unos 10 minutos, hasta que se gratinen.

TURRÓN DE JIJONA

Ingredientes

250 g de almendras tostadas, 250 g de avellanas
250 g de azúcar, 250 g de miel blanca
5 claras de huevo, 1 cucharada de canela

Preparación

* Se pican muy finas las avellanas y almendras, después se trituran en un mortero o en una procesadora o batidora hasta conseguir una pasta suave.
* Se baten las claras hasta que estén consistentes y se agregan a la pasta anterior.
* En una sartén, se calienta hasta que hiervan la miel y el azúcar. Luego, se añade la pasta de frutos secos a la sartén. Se remueve continuamente con una cuchara de madera durante 10 minutos.
* Por último, retiramos la pasta del fuego, y en moldes forrados con papel de arroz, dejamos enfriar y espolvoreamos con canela.

TURRÓN DE CHOCOLATE

Ingredientes

50 g de manteca de cacao o de manteca de cerdo
60 g de arroz inflado chocolateado, 125 g de chocolate negro y 150 g de chocolate con leche

Preparación

* Partimos las dos clases de chocolate en trozos y lo ponemos junto con la manteca en el microondas durante dos minutos a máxima potencia.
* Sacamos del microondas y removemos bien. Después, añadimos el arroz inflado y mezclamos de nuevo con una cuchara de madera. Vertemos la mezcla en un molde y dejamos enfriar en la nevera durante dos horas.
* Para terminar, lo sacamos del molde y ya tenemos el turrón casero de chocolate.

ROSCÓN DE REYES

Ingredientes

650 g de harina de fuerza, 250 ml de leche tibia, 25-30 g de levadura fresca, 120 g de azúcar
120 g de mantequilla derretida, 2 huevos y 1 yema, 10 g de sal
2 y 1/2 cucharadas de agua de azahar, piel rallada de 1 limón grande y 1 naranja.
Para decorar: *Frutas escarchadas al gusto, almendras laminadas, azúcar, 1 huevo batido,*
1 naranja y 1 figurita horneable

Preparación

✱ Mezclamos un poquito de leche con 2 o 3 cucharadas de harina. Se añaden 30 g de levadura fresca desmenuzada y se remueve la mezcla. Luego tapamos el recipiente y lo dejamos reposar durante unos 20 minutos para que fermente.

✱ En un recipiente se echa el resto de la harina y se va añadiendo azúcar, ralladura de limón, naranja, sal, el resto de la leche, 2 huevos. A esta mezcla se añadirá la masa que habíamos dejado en reposo. Agregamos el agua de azahar y la mantequilla derretida, y removemos bien hasta obtener una masa uniforme.

✱ Espolvoreamos harina sobre una superficie y amasamos la mezcla con las manos Podemos añadir un poco más de harina para que sea más consistente.

✱ Una vez bien amasada, formamos una bola con la masa y la guardamos tapada con un paño húmedo o en un recipiente hermético durante 2 horas en un lugar cálido.

✱ Pasadas las dos horas, amasamos de nuevo la mezcla con las manos sobre una superficie enharinada y vamos dándole forma de roscón. Es importante no olvidar que hay que dejar un agujero bastante grande en el centro, ya que la masa crecerá al hornearla y el agujero se hará más pequeño. Dejamos reposar la masa de nuevo durante una hora, tapada y en un lugar cálido.

✱ Antes de hornear el roscón, introducimos en él la figurita como sorpresa. Luego lo decoramos con frutas confitadas y almendras en láminas.

✱ Precalentamos el horno a 180 ºC y horneamos el roscón durante unos 20 minutos.

✱ Lo sacamos con cuidado del horno y dejamos que se enfríe. Si queremos podemos cortarlo por la mitad y rellenarlo de nata, trufa o cabello de ángel.

LOS VILLANCICOS

En las celebraciones navideñas no puede faltar la música. Todos los países donde se celebra la Navidad cuentan con un amplio repertorio de canciones populares para estas fiestas.

Los primeros cantos navideños tuvieron su origen en las celebraciones religiosas de la Navidad. Uno de los más antiguos es un himno del siglo IV d. C. atribuido a san Ambrosio de Milán y titulado *Veni redentor gens*. Pero fue mucho más tarde, en el siglo XII, cuando se empezaron a adaptar canciones profanas populares para convertirlas en himnos o cantos navideños.

En España, las canciones de Navidad se denominan «villancicos». Inicialmente los villancicos no eran exclusivamente piezas navideñas. Se trataba de canciones profanas con estribillo y armonizadas a varias voces, y fueron muy populares entre los siglos XV y XVIII. Poco a poco, esta forma musical fue quedando relegada a las celebraciones navideñas, y por eso ahora asociamos el término «villancico» con la Navidad.

En inglés, los villancicos se denominan *christmas carols*. El origen de este término se encuentra en unos bailes populares que tenían lugar durante la cosecha y también en la Navidad. Originalmente se iban cantando de puerta en puerta, pero más tarde se incorporaron también a los servicios religiosos.

«WASSAILING»

La costumbre de ir de casa en casa cantando villancicos en grupo se conoce en el ámbito anglosajón como *Wassailing*. Esta palabra viene del antiguo brindis anglosajón *Waes du hael* que significa «Que tengas salud». No se conoce el origen de esta costumbre, pero es muy posible que sea anterior al cristianismo.

Tradicionalmente, el *Wassailing* se celebra en la duodécima noche de Navidad, que coincide con la noche del 5 de enero. Muchos de los villancicos tradicionales ingleses hacen alusión a esta tradición, que no siempre era pacífica, ya que hubo épocas en las que los participantes en estos coros exigían comida y bebida a cambio de sus cantos, y si se la negaban a veces irrumpían en la casa y causaban enormes destrozos. Por fortuna, hoy solo se conserva la cara más amable de esta tradición.

LA ZAMBOMBA Y LA PANDERETA

En España, el instrumento navideño por excelencia es la zambomba, formada por un cilindro hueco de cerámica o madera con uno de sus extremos cerrado por un parche que se atraviesa en el centro por una varilla. Al frotar la varilla con la mano, la vibración se transmite al cuero del parche, produciendo un sonido grave muy peculiar.

Existen otros términos para denominar a este instrumento. En Murcia se lo conoce como pandorga, y en Venezuela como furruco o furro.

Otros instrumentos muy propios de estas fiestas son las panderetas y castañuelas, así como la gaita y el tamboril, que se menciona en numerosos villancicos.

DOS VILLANCICOS FAMOSOS

ADESTE FIDELES

Adeste fideles significa «Venid, fieles» en latín. Este villancico es un himno que se usa en las celebraciones religiosas navideñas de Francia, España, Portugal e Inglaterra desde finales del siglo XVIII, y también en las reuniones familiares. No se sabe con certeza quién lo compuso, pero es probable que su autor fuese el rey Juan IV de Portugal, que vivió en el siglo XVII y era muy aficionado a la música. Este monarca hizo construir una escuela de música en Vila Viçosa (Portugal), y en su palacio se encontraron los dos manuscritos más antiguos de esta pieza que se conservan.

Adeste fideles laeti triumphantes,
venite, venite in Bethlehem.
Natum videte, Regem angelorum.
Venite adoremus, venite adoremus,
venite adoremus Dominum.

Acudid fieles alegres, triunfantes,
venid, venid a Belén.
Ved al nacido, Rey de los ángeles.
Venid, adoremos, venid, adoremos
venid, adoremos al Señor.

Cantet nunc io chorus angelorum,
cantet nunc aula caelestium,
gloria, gloria in excelsis Deo,
venite adoremus, venite adoremus
venite adoremus Dominum.

Cante ahora el coro de los ángeles,
cante ahora la corte celestial,
gloria, gloria en las alturas a Dios,
venid, adoremos, venid, adoremos,
venid, adoremos al Señor.

NOCHE DE PAZ

Uno de los villancicos más famosos es sin duda *Noche de Paz,* traducción del villancico alemán *Heilige Nacht.* La canción fue interpretada por primera vez en la iglesia de San Nicolás de Oberndorf, en Austria, el 24 de diciembre de 1818. la letra fue compuesta por el sacerdote Joseph Mohr, y la música por el organista Franz Xaver Gruber.

Según una versión de lo sucedido, en la víspera de la Navidad de 1818, el órgano de la iglesia de San Nicolás estaba averiado. Por eso, el sacerdote, Joseph Mohr, le pidió a su organista que cogiese una letra que él había escrito y le pusiese música, de forma que pudiera ser cantada por el coro con el acompañamiento de una sola guitarra.

Lo cierto es que la canción tuvo tanto éxito que pronto empezó a hacerse popular en otras poblaciones de Austria y Alemania. Desde entonces se ha traducido a más de trescientos idiomas en todo el mundo, y está considerado el villancico más popular de todos los tiempos.

Noche de paz, noche de amor;
todo duerme alrededor.
Entre los astros que esparcen su luz
viene anunciando al Niño Jesús,
brilla la estrella de paz.

Noche de paz, noche de amor;
todo duerme alrededor.
Solo velan en la oscuridad
los pastores que en el campo están;
y la estrella de Belén,
y la estrella de Belén.

Noche de paz, noche de amor;
todo duerme alrededor.
Sobre el santo niñito Jesús
una estrella esparce su luz,
brilla sobre el rey,
brilla sobre el rey.

Noche de paz, noche de amor;
todo duerme alrededor.
Fieles velando allí en Belén;
los pastores, la madre también,
y la estrella de paz,
y la estrella de paz.

VILLANCICOS TRADICIONALES

LOS PECES EN EL RÍO

Pero mira cómo beben los peces en el río,
pero mira cómo beben por ver al Dios nacido.
Beben y beben y vuelven a beber
los peces en el río por ver a Dios nacer.

La Virgen está lavando
y tendiendo en el romero,
los pajaritos cantando
y el romero floreciendo.

Pero mira cómo beben los peces en el río,
pero mira cómo beben por ver al Dios nacido.
Beben y beben y vuelven a beber
los peces en el río por ver a Dios Nacer.

La Virgen se está peinando
entre cortina y cortina
los cabellos son de oro
y el peine de plata fina.

Pero mira cómo beben los peces en el río,
pero mira cómo beben por ver al Dios nacido.
Beben y beben y vuelven a beber
los peces en el río por ver a Dios nacer.

HACIA BELÉN VA UNA BURRA

Hacia Belén va una burra, rin, rin,
yo me remendaba yo me remendé
yo me eché un remiendo yo me lo quité,
cargada de chocolate.
Lleva en su chocolatera rin, rin,
yo me remendaba yo me remendé
yo me eché un remiendo yo me lo quité,
su molinillo y su anafre.

Maria, Maria, ven acá corriendo,
que el chocolatillo se lo están comiendo.

En el portal de Belén rin, rin,
yo me remendaba yo me remendé
yo me eché un remiendo yo me lo quité,
han entrado los ratones;
y al bueno de san José rin, rin,
yo me remendaba yo me remendé
yo me eché un remiendo yo me lo quité,
le han roído los calzones.

María, María... ven acá corriendo,
que los calzoncillos los están royendo.

En el Portal de Belén rin, rin,
yo me remendaba yo me remendé
yo me eché un remiendo yo me lo quité,
gitanillos han entrado;
y al niño que está en la cuna rin, rin
yo me remendaba yo me remendé
yo me eché un remiendo yo me lo quité,
los pañales le han cambiado.

Maria, María ven acá volando,
que los pañalillos los están lavando.

YA VIENEN LOS REYES
Ya vienen los reyes por el arenal.
Ya le traen al niño un rico pañal.
Pampanitos verdes, hojas de limón,
la Virgen María, madre del Señor.

Oro trae Melchor, incienso Gaspar
y olorosa mirra, el rey Baltasar.
Pampanitos verdes, hojas de limón,
la Virgen María, madre del Señor.

Ya viene la vieja con el aguinaldo.
Le parece mucho, le viene quitando.
Pampanitos verdes, hojas de limón,
la Virgen María, madre del Señor.

OLÉ OLÉ HOLANDA

Ya vienen los Reyes Magos,
ya vienen los Reyes Magos,
caminito de Belén.
Olé, olé, Holanda y olé,
Holanda ya se ve, ya se ve, ya se ve.

Cargaditos de juguetes,
cargaditos de juguetes,
para el niño de Belén.
Olé, olé Holanda y olé,
Holanda ya se ve, ya se ve, ya se ve.

La Virgen va caminando,
la Virgen va caminando,
caminito de Belén.
Olé, olé, Holanda y olé,
Holanda ya se ve, ya se ve, ya se ve.

Como el camino es tan largo,
como el camino es tan largo,
pide el niño de beber.
Olé, olé, Holanda y olé,
Holanda ya se ve, ya se ve, ya se ve.

No pidas agua mi vida,
no pidas agua mi vida,
no pidas agua mi bien.
Olé, olé, Holanda y olé,
Holanda ya se ve, ya se ve, ya se ve.

Que los ríos vienen turbios,
que los ríos vienen turbios,
y no se puede beber.
Olé, olé, Holanda y olé,
Holanda ya se ve, ya se ve, ya se ve.

CAPÍTULO VI

LOS REGALOS

LOS REYES MAGOS

Una parte importante de las fiestas de Navidad está relacionada con los regalos. Los personajes encargados de repartirlos entre los niños no son los mismos en todo el mundo, pero todos ellos resultan fascinantes. En España son Sus Majestades de Oriente los encargados de traer los regalos.

LA HISTORIA DE LOS REYES MAGOS

Conocemos la historia de los Reyes Magos a través del *Evangelio según san Mateo,* uno de los libros más importantes de la Biblia cristiana:

> *Nacido, pues, Jesús en Belén de Judá en los días del rey Herodes, llegaron del Oriente a Jerusalén unos magos diciendo: «¿Dónde está el rey de los judíos que acaba de nacer? Pues hemos visto su estrella y hemos venido a rendirle homenaje». (Mateo 2,1-2).*

> *Cuando la estrella se detuvo, sintieron una inmensa alegría. Al entrar en la casa, vieron al niño con su madre María, y, arrodillándose, lo adoraron; y abriendo sus cofres, le ofrecieron regalos: oro, incienso y mirra. (Mateo 2,11).*

Pero algunas tradiciones relacionadas con estos personajes proceden de otros libros muy antiguos que no forman parte de la Biblia, y de historias que se han ido transmitiendo oralmente de generación en generación.

Según la tradición, los Reyes Magos procedían de Oriente, y eran muy sabios. En sus observaciones del firmamento, descubrieron una estrella especial, y decidieron seguirla porque sabían que los guiaría al lugar donde iba a nacer el el personaje más importante de su tiempo. Siguiendo la estrella, pasaron por Jerusalén, y allí le contaron al rey Herodes el Grande el objetivo de su viaje. El rey Herodes se alarmó mucho al oír que un personaje tan poderoso había nacido o estaba a punto de nacer en su territorio, y pensó que podía suponer una amenaza para su poder. Por eso, decidió de inmediato intentar localizar a aquel niño y asesinarlo. Con el pretexto de que él también quería adorar al recién nacido, les pidió a los reyes que a su regreso pasasen de nuevo por su palacio y le contasen dónde habían encontrado al pequeño. Sin embargo, un ángel advirtió a los magos de las verdaderas intenciones del monarca, y los tres decidieron no regresar por Jerusalén para evitar a Herodes. También advirtieron a María y José del peligro que corría su familia.

Cuando los reyes se presentaron ante Jesús, se arrodillaron ante él y le entregaron los regalos que le traían. Estos regalos eran tres: oro, incienso y mirra. El oro representaba la realeza de Jesús, ya que era el presente que solía hacerse a los reyes. El incienso representaba su naturaleza divina, ya que esta sustancia solía quemarse en los altares durante las ceremonias religiosas. La mirra se usaba para embalsamar a los muertos, y representaba la naturaleza humana del recién nacido.

LA NOCHE DE REYES

En España y en muchos países latinoamericanos, los Reyes Magos son los encargados de repartir los regalos navideños, y lo hacen durante la noche del 5 de enero. Para recibir regalos de los reyes, los niños les escriben una carta pidiéndoles los juguetes que quieren.

Después de las cabalgatas, en las que los reyes o sus representantes desfilan por las calles de las distintas ciudades españolas, los niños ponen sus zapatos bajo el árbol de Navidad o en un rincón especial de la casa y se van a dormir.

Muchas familias preparan también tres copas de bebida para los reyes, así como tres dulces navideños, y algo de leche para los camellos.

LOS NOMBRES DE LOS REYES

La mención más antigua de los nombres de Melchor, Gaspar y Baltasar asociados a los Reyes Magos aparece en un mosaico de mediados del siglo VI de la iglesia de San Apolinar Nuevo, en la ciudad italiana de Rávena. En ella se ve a tres personajes cubiertos con gorros frigios y vestimentas persas que ofrecen regalos a la Virgen, sentada en un trono y con el niño en sus rodillas. Sobre las cabezas de estos personajes se pueden leer sus nombres: *Gaspar, Melchior, Balthassar.*

A la mañana siguiente, cuando los niños se despiertan, descubren que alrededor de sus zapatos y dentro de ellos los reyes han dejado los regalos que les pidieron. Se supone que los niños que se han portado mal durante el año reciben carbón en lugar de regalos, pero los reyes suelen mostrarse bastante comprensivos en estos asuntos y, por lo general, están dispuestos a darles una segunda oportunidad a los niños que han tenido un peor comportamiento. Eso sí, como advertencia, a veces les dejan junto con los regalos unas piedras de carbón dulce.

LA CARTA A LOS REYES

Si quieres que los Reyes Magos te dejen regalos en la noche del 5 de enero, es aconsejable que les escribas una carta. Es cierto que Sus Majestades tienen poderes para adivinar lo que cada niño necesita, pero te agradecerán mucho que les eches una mano dándoles alguna pista sobre tus preferencias.

CAMELLOS… Y OTRAS MONTURAS

Por lo general, se cree que los reyes viajan siempre en tres camellos que tienen algo de mágico, pues les da tiempo a recorrer miles de casas y dejar los regalos en una sola noche. Además, según la leyenda, estos animales solo comen durante la noche, y no vuelven a probar bocado en todo el año. Por eso es buena idea dejarles algo de leche o de heno para que puedan reponer fuerzas.

En algunos países, sin embargo, está muy extendida la idea de que cada rey viaja a lomos de un animal diferente. Según esta tradición a Melchor lo transporta un caballo, a Gaspar un camello, y a Baltasar un elefante.

Consejos para escribir tu carta a los Reyes

1. Elige un papel de carta blanco o de algún color claro y un lápiz con la punta bien afilada. Si ya sabes escribir con bolígrafo o rotulador, puedes elegir también estas herramientas.

2. Comienza con un saludo a los reyes, del tipo «Queridos Reyes Magos». Luego, escribe dos puntos y pasa al reglón siguiente de la carta.

3. A continuación, explícales a los reyes cómo te has comportado durante el año y las cosas buenas que has hecho. Así los reyes se darán cuenta de que mereces los regalos que vas a pedirles.

4. A la hora de pedir tus regalos, hazlo de manera educada y respetuosa. Si en lugar de decir directamente los regalos que quieres les muestras a los reyes que confías en ellos y en su elección, te lo agradecerán mucho. Puedes escribir algo como «Podéis traerme lo que queráis» o bien «Os agradeceré mucho cualquier regalo que tengáis pensado para mí».

5. Después, puedes hacerles una lista de sugerencias sobre las cosas que te gustaría que te trajeran. No pidas demasiadas, porque los reyes deben repartir sus esfuerzos entre muchos niños.

6. Antes de terminar tu carta, dales las gracias por su generosidad.

7. Decora la carta con algún dibujo relacionado con los reyes, con los regalos o con la estrella de Belén.

8. Para enviar la carta, métela en un sobre y pídele a algún adulto que te acompañe a echarla al correo o bien a entregarla en mano a los pajes de los reyes en algún centro comercial. También puedes escribir a los Reyes Magos a través de Internet. Hay numerosas webs que te permitirán hacerlo.

Ideas para decorar tu carta a los reyes

Una decoración sencilla para la carta a los reyes consiste en dibujar una estrella de Belén grande en la parte de arriba. Otra opción son unos dibujos de hojas de acebo en las esquinas o bien una cenefa de árboles de Navidad en la parte inferior.

También puedes realizar un gran dibujo de Sus Majestades en la parte de arriba de la carta. Puedes dibujarlos de pie o montados en sus camellos.

Si disfrutas dibujando cómics, otra opción es decorar tu carta con una secuencia de tres o cuatro viñetas en las que aparezcan Melchor, Gaspar y Baltasar. Puedes inventarte un diálogo entre ellos y escribirlo en bocadillos situados en cada viñeta, como se hace generalmente en los cómics. Seguro que esto les llamará enormemente la atención.

Si prefieres un decoración llamativa pero sencilla de hacer, una buena alternativa es decorar tu carta con dibujos de paquetes de regalo. Intenta combinar paquetes de distintos colores, y coloréalos con esmero para que el resultado sea lo más vistoso posible.

También puedes adornar tu carta con pegatinas navideñas o recortes de papeles de regalo en forma de estrellas, árboles de Navidad o campanas.

Como ves, las posibilidades son infinitas. Solo tienes que dejar volar tu imaginación. Y por supuesto, ¡no olvides meter la carta en un sobre y echarla al buzón cuando esté terminada!

SANTA CLAUS

Todo el mundo conoce a Santa Claus, pero en realidad es un personaje bastante misterioso, y hay muchas cosas que no se saben de él. En algunos países se le conoce también como Papá Noel o *Father Christmas,* y hay quien cree que este anciano de rostro alegre y larga barba blanca es en realidad san Nicolás.

Algunas personas llegan a relacionarlo incluso con un antiguo dios de la mitología germánica llamado Odín, y con las fiestas de *Yule*, que celebraban muchos pueblos nórdicos y estaban relacionadas con el solsticio de invierno (la noche más larga del año). ¡Solo el propio Santa Claus podría contarnos su verdadera relación con esas antiguas fiestas!

Santa Claus se hizo muy popular en el siglo XIX en Estados Unidos y en Canadá. Hoy en día, su fama se ha extendido por todo el mundo. Siempre va vestido con un traje rojo con adornos de piel blanca en las mangas y un gorro también rojo. Suele llevar un cinturón negro, y en algunas ocasiones se le ha visto con gafas. Se sabe que tiene la costumbre de decir a menudo: ¡*Ho ho ho ho!*

Santa Claus tiene su casa en el Polo Norte. Allí se encuentra también su increíble taller, donde se dedica a fabricar juguetes durante todo el año con ayuda de los elfos, que normalmente van vestidos de verde.

Cada año, Santa Claus hace una lista de niños clasificándolos según su comportamiento. Después, en su taller de juguetes, dirige la fabricación de los regalos que va a repartir por todo el mundo la noche de Navidad. Los niños le escriben cartas pidiéndole aquellos juguetes y regalos que más les gustan.

La noche de Navidad, Santa Claus recorre el mundo en un trineo volador tirado por renos. Los nombres de los renos son Dasher, Dancer, Prancer, Vixen, Comet, Cupid, Donner, y Blitzen. El último de sus renos se llama Rudolf (Rodolfo) y se distingue de los demás por su nariz roja y brillante.

Para dejar sus regalos en las casas, Santa Claus prefiere entrar por las chimeneas. Si la casa no dispone de una chimenea, busca otra alternativa como una puerta o una ventana.

Los niños suelen dejarle en cada casa unas galletas y un vaso de leche. A veces también le dejan empanadas de carne y algo de cerveza o una copita de jerez. Para los renos, es costumbre dejar una zanahoria.

También hay que colgar los calcetines de la chimenea o en otro lugar donde Santa Claus pueda verlos bien, para llenarlos de regalos.

LA HISTORIA DE RUDOLF, EL RENO

Rudolf, el reno, vivía con los otros renos de su manada, pero todos se reían de él por su nariz roja y brillante. El pobre se sentía rechazado por sus compañeros y soñaba con librarse de aquella nariz y convertirse en un reno normal. Sin embargo, una noche de Navidad en la que había mucha niebla, Santa Claus se fijó en él y se dio cuenta de que Rudolf podía guiar a sus otros renos gracias a su nariz luminosa. Rudolf aceptó la invitación de Santa Claus y durante toda la noche guio a los demás renos a través de la niebla para que Santa Claus pudiese entregar sus regalos a tiempo. Desde entonces, todo el mundo considera a Rudolf un héroe, y nadie ha vuelto a reírse de su nariz.

OTROS PERSONAJES PORTADORES DE REGALOS

TIÓ DE NADAL

Este personaje, típico de Cataluña, es bastante especial, porque se trata de un tronco de madera con ojos y boca. El día 8 de diciembre (festividad de la Inmaculada) es costumbre empezar a darle de comer cada noche, y después se le tapa con una manta para que no pase frío. Se le alimenta hasta la Nochebuena, y entonces los niños lo golpean con un bastón mientras cantan una canción típica para hacer que el Tió «cague» regalos.

OLENTZERO

Este personaje es un carbonero que vive aislado de la sociedad y se dedica a hacer carbón vegetal en el bosque. Los niños de Navarra y el País Vasco le escriben a veces cartas para pedirle regalos. En Nochebuena, visita las casas de los niños que le han escrito y les deja los regalos que han pedido.

ESTERU

Personaje de Cantabria, que trabaja como leñador en los bosques y lleva regalos a los niños el día de Navidad. Siempre lleva su boina, su pipa, su hacha y su bastón. Se pasa todo el año cortando árboles, pero en los días de Navidad se dedica a fabricar juguetes para luego repartirlos por las casas.

APALPADOR

Este carbonero de Galicia baja en Nochebuena a tocar el vientre de los niños para ver si han comido bien a lo largo del año, y les deja castañas y algún que otro regalo.

SAN NICOLÁS

San Nicolás, obispo de Mira en el siglo IV es el personaje que tradicionalmente se encargaba de repartir los regalos navideños entre los niños de Bélgica, Holanda, Austria, norte de Francia y algunos países eslavos. Este santo y su culto son muy populares en toda Europa. Su fiesta se celebra el 6 de diciembre, el día elegido por él para dejar regalos a los más pequeños de la casa. Viste ropas de obispo y una mitra (gorro ceremonial), y viaja a caballo. Suele dejar un saco lleno de regalos en el exterior de la casa o en el salón.

En Alemania, su ayudante es una especie de demonio llamado Knecht Ruprechet, que echa cenizas sobre los niños que se han portado mal y les pega con un bastón. En Austria, el ayudante de san Nicolás es Krampus, una especie de demonio que castiga a los niños que han tenido un mal comportamiento durante el año. En Holanda, sus ayudantes se llaman Zwarte Pieten, y son una especie de duendes con la cara negra y ropas orientales de colores.

DED MOROZ Y LA DONCELLA DE NIEVE

Ded Moroz es un personaje ruso. Su nombre significa «abuelo frío» o «abuelo de las nieves». Suele repartir regalos en la noche de Nochevieja o en Año Nuevo. Tiene una larga barba, ropas rojas, y una capa de pieles que le llega hasta los pies. Viaja caminando con ayuda de su bastón mágico, y normalmente lo acompaña su nieta Snegurochka, también llamada «la doncella de nieve», que suele llevar un vestido azul plateado y un gorro de pieles o una corona hecha de cristales de nieve.

LA BEFANA

La Befana es una especie de bruja buena que viaja en una escoba voladora y siempre está sonriendo. Reparte regalos entre los niños de Italia, visitándolos en la noche del 5 de enero para llenar sus calcetines de golosinas, bombones y regalos. Parece ser que la Befana es una mujer con la que se encontraron los Reyes Magos cuando se dirigían a Belén. Ella les regaló dulces para el camino pero no quiso acompañar-

los. Sin embargo, cuando los reyes se fueron la Befana se arrepintió y decidió ir tras ellos en busca del Niño Jesús. Como no conocía el camino, iba entrando en todas las casas con la esperanza de que alguien la orientase, y dejaba dulces en todas ellas. Y es lo que sigue haciendo, año tras año, en la noche de Reyes.

YULEMEN

Los Yulemen son trece personajes barbudos que visitan a los niños de Islandia en las trece noches previas a la Navidad para dejarles regalos en la ventana. Cada noche le toca el turno a uno de ellos, y pueden dejar o bien regalos, o bien patatas podridas, dependiendo de cómo se haya portado el niño a lo largo del año.

CHRISTKIND

En algunos lugares de Alemania, Austria, Croacia y la República Checa, el encargado de repartir regalos en Navidad es el Christkind, un niño rubio con alas parecido a un ángel. Nadie lo ha visto nunca, pero se sabe que ha terminado su tarea porque al salir de una casa hace sonar una campanita. En ese momento, los niños corren a mirar bajo el árbol de Navidad para abrir los regalos que el Christkind les ha dejado.

EL NIÑO JESÚS

En muchos lugares de Europa y de Hispanoamérica, se cree que quien reparte los regalos navideños es el Niño Jesús en persona. Así sucede en Venezuela, donde los niños reciben los regalos la noche del 24 de diciembre. Para recibir los regalos del Niño Jesús hay que escribirle una carta solicitándole juguetes, dulces o algún don o favor importante, bien sea para uno mismo o para los demás.

En algunas ciudades del continente africano donde pervive la influencia católica también está extendida esta tradición, cuya práctica, sin embargo, no suele extenderse a las zonas rurales.

Y NOSOTROS TAMBIÉN NOS HACEMOS REGALOS

La tradición de intercambiar regalos en Navidad es muy antigua. Ya los romanos tenían la costumbre de intercambiar presentes durante la fiesta de las Saturnales, que se celebraba en diciembre, y también en las fiestas de Minerva, que tenían lugar en enero. La costumbre se prolongó durante toda la Edad Media y ha continuado hasta nuestros días.

EL AMIGO INVISIBLE

Esta costumbre está muy extendida entre compañeros de trabajo o amigos que quieren intercambiar regalos en estas fechas. Consiste en hacerse regalos entre sí sin que nadie sepa quién le ha hecho el regalo a quién. Los participantes se reúnen y uno de ellos escribe los nombres de todos en papelitos y los mete en una bolsa. Luego, cada persona va sacando un nombre de la bolsa, y ese será su amigo secreto, a quién tendrá que comprarle un regalo. El día señalado todos los participantes dejan sus obsequios en un saco sin ser vistos. Cada regalo lleva una tarjeta con el nombre de su destinatario.

LOS AGUINALDOS

En España y en muchos países latinoamericanos, se llama así a una paga especial o un regalo en forma de dinero que reciben los empleados por parte de sus jefes o de la empresa para la que trabajan. En algunos lugares también se llama aguinaldo a las monedas o dulces con que se premia a los niños que cantan villancicos de casa en casa por Navidad.

LAS CESTAS DE NAVIDAD

Esta tradición española consiste en regalar una cesta llena de comestibles navideños (turrones, polvorones, quesos, embutidos, cava, etc.). La costumbre se instauró en el siglo XIX como forma de recompensar a algunos funcionarios públicos en estas fecha, y a lo largo del siglo XX se fue extendiendo a las empresas privadas y a las familias.

LOS PAQUETES DE REGALO

CÓMO ENVOLVER UN REGALO PASO A PASO

1. Coloca el papel de regalo extendido sobre una mesa con los dibujos hacia abajo.

2. Coloca la caja que vas a envolver encima del papel. Asegúrate de que le has quitado la etiqueta del precio (no es elegante entregar un regalo con la etiqueta del precio puesta).

3. Mide el papel que vas a necesitar. Asegúrate de tener suficiente para poder envolver la caja con una sola pieza de papel, y recuerda que debe sobrar un poco de papel a cada lado.

4. Corta el papel que sobre. Para no torcerte, puedes marcar una línea con un lápiz y una regla, o hacer un doblez a lo largo de la línea que quieres cortar y luego seguir la marca.

5. Vuelve a colocar la caja sobre el papel, pero esta vez boca abajo y lo más centrada posible.

6. Dobla el papel alrededor del regalo en horizontal. Primero dobla la parte de arriba hacia abajo y luego la parte de abajo hacia arriba, de forma que esta última se superponga a la primera. Pega las dos partes con cinta adhesiva.

7. Dobla el papel sobrante a ambos lados del paquete. En uno de los lados, dobla las esquinas hacia dentro hasta que formen un triángulo. Dobla el triángulo hacia arriba, dobla su punta hacia dentro y pégalo todo con cinta adhesiva. Pega el papel sobrante del otro lado de la misma manera.

8. Añade una cinta: elige una cinta larga para rodear el regalo. Rodea el regalo a lo ancho por la parte central, haz un nudo y luego rodéalo a lo largo. Haz el lazo de manera que quede en el centro del paquete.

IDEAS PARA HACER PAQUETES DE REGALO ORIGINALES

CON HEBRAS DE LANA

Materiales

Papel de regalo liso, hebras de lana de muchos colores, cinta adhesiva, tijeras.

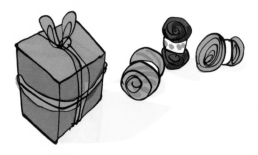

Cómo se hace:

* Envuelve el regalo en el papel liso (mejor si es de un color llamativo) y pégalo con la cinta adhesiva.
* Alrededor del paquete, ata muchas hebras de lana de distintos colores de manera que queden unas junto a otras.

CON TUS DIBUJOS

Materiales

Papel grande y liso sobre el que se pueda dibujar, rotuladores, cintas de colores, tijeras, cinta adhesiva.

Cómo se hace:

* Cubre los papeles de regalo de dibujos grandes y llamativos. También puedes escribir palabras en distintos colores.
* Envuelve el regalo con tus dibujos.
* Pégalo con cinta adhesiva y decóralo con un lazo de un color vivo.

PAQUETES EN FORMA DE ANIMAL

Materiales

Papel blanco, cartulina negra, rotulador negro grueso, pegamento de barra, tijeras.

Cómo se hace:

* Coge la cartulina negra y recorta cuatro rectángulos con uno de sus bordes redondeados para hacer las patas del animal.
* Envuelve el regalo en papel blanco y pégalo con cinta adhesiva.
* Pinta la cara de un animal en un lado del regalo. Puedes hacer un panda, un mapache o algún otro animal que te guste.
* Pega dos patitas en la parte de delante y dos en la de atrás, hacia los lados.
* Pega una banda de cartulina negra alrededor de la caja, para que se parezca más a un panda (si has elegido otro animal, decora el paquete de la forma que quieras para que se parezca a ese animal).

CON MANTELITOS DE PAPEL Y ADORNOS DE FIELTRO

Materiales

Papel de regalo liso, mantelitos o posavasos de encaje de papel, fieltro de colores, tijeras, pegamento, cinta adhesiva.

Cómo se hace:

* Recorta formas sencillas en el fieltro, como corazones, árboles de Navidad, círculos de distintos tamaños o caramelos.
* Envuelve el regalo en el papel liso. Sobre él, pega adornos hechos con las cenefas de encaje de los manteles navideños y las formas de fieltro que has recortado.

CAPÍTULO VII

FIESTAS RELACIONADAS

NOCHEVIEJA Y AÑO NUEVO

En España, llamamos Nochevieja a la última noche del año. Esta festividad comenzó a celebrarse cuando se adoptó el calendario gregoriano, en el año 1582. Al principio, el cambio de año era acogido con temor por la mayoría de la gente, pero a partir del siglo XIX esta fecha se convirtió en una celebración festiva y alegre.

En España, una de las tradiciones más extendidas es la de las doce uvas, que está documentada al menos desde 1897. Consiste en esperar a la medianoche para comerse doce uvas, una con cada campanada que da el reloj.

Inicialmente, la gente utilizaba para este ritual un reloj que tuvieran en casa o en alguna iglesia o edificio local, pero con la llegada de la televisión a los hogares, el reloj de la Puerta del Sol en Madrid se convirtió en la referencia de todos los españoles para esta celebración. Este reloj tiene una secuencia de campanadas muy peculiar, ya que suena cuatro veces seguidas (los llamados cuartos) antes de empezar a dar las campanadas propiamente dichas, lo que ha ocasionado no pocos quebraderos de cabeza a los periodistas encargados de retransmitir la ceremonia por televisión a lo largo de los años.

Otra tradición cada vez más extendida en nuestro país es la de recibir el nuevo año con alguna prenda de ropa interior de color rojo.

Las fiestas de celebración de la Nochevieja se llaman «cotillones». También se denomina cotillón a la bolsa con confeti, serpentinas, matasuegras, gorros y antifaces que se reparten entre los asistentes a estas fiestas. Entre los jóvenes, la celebración suele prolongarse hasta la mañana del día de Año Nuevo, y se concluye con un tradicional desayuno de chocolate con churros.

LA CARRERA DE SAN SILVESTRE

Muchas personas celebran el último día del año participando en una de las numerosas carreras que se celebran por todo el mundo el 31 de diciembre (día de San Silvestre según el santoral católico). La primera carrera de San Silvestre se celebró en Sao Paulo (Brasil) en el año 1925. Desde entonces, la costumbre se ha extendido a distintos países.

En España se celebran más de 200 carreras de San Silvestre, pero la más multitudinaria es la San Silvestre Vallecana de Madrid, que se celebra desde 1964.

FIN DE AÑO EN DISTINTOS PAÍSES

ALEMANIA

En Alemania, la celebración de la llegada del Año Nuevo se concentra sobre todo el la Puerta de Brandenburgo (Berlín), donde mucha gente se reúne para brindar con Sekt (un vino espumoso) o champán. Otra costumbre curiosa es la de arrojar plomo fundido en agua fría. Se supone que la forma que adopta el plomo al solidificarse predice lo que le ocurrirá a cada persona en el Año Nuevo. También es costumbre comer berlinesas, que son unas rosquillas rellenas de mermelada, así como unos diminutos cerditos de mazapán que se supone que atraen la buena suerte.

BRASIL

En Brasil, es costumbre vestirse de blanco en Nochevieja. Según la tradición esto se hace para mantener alejados a los espíritus malignos. Otra tradición brasileña para celebrar la despedida del año es arrojar flores al mar y saltar sobre siete olas, una por cada día de la semana. Las flores que se utilizan son gladiolos blancos para pedir paz, rojos para el amor y amarillos para el dinero.

CHILE

En Chile es costumbre comer una cucharada de lentejas a medianoche y poner dinero en el fondo de los zapatos para tener prosperidad durante el año que comienza. Los más atrevidos pasan la noche en un cementerio para celebrar la fiesta con sus parientes fallecidos.

DINAMARCA

Para celebrar la llegada del Año Nuevo y despedir al viejo, los daneses tienen la costumbre de estrellar platos y vasos contra las casas de sus amigos y vecinos. Otra costumbre danesa es saltar desde lo alto de una silla justo a las doce de la noche.

ECUADOR

En Ecuador se queman muñecos que representan a los políticos a medianoche, para empezar con buen pie el Año Nuevo. También es costumbre esconder dinero en distintos rincones de la casa para tener prosperidad durante todo el año.

ESCOCIA

En Escocia es tradición visitar las casas de familiares y amigos llevando pequeños regalos, como pan y *whisky* y un poco de carbón. En su capital, Edimburgo, a medianoche se dispara un cañón en el castillo, y a continuación se celebra un espectáculo de fuegos artificiales.

FILIPINAS

En Filipinas se considera que los objetos redondos aportan prosperidad. Por eso, en Nochevieja la gente se viste con ropa de lunares y llevan monedas en sus bolsillos. También comen frutos redondos como las naranjas y los pomelos.

GRECIA

En Grecia, muchos niños pasan el último día del año cantando villancicos de Año Nuevo, y los adultos les dan dinero a cambio. Después se celebra una comida tradicional. Por la tarde, la gente cocina un pastel de almendras llamado *vassilopita*, y ponen dentro una moneda envuelta en papel de aluminio. Cuando llega la medianoche, las familias apagan las luces y abren los ojos en la oscuridad para «entrar en el Año Nuevo con una nueva luz». Después hay espectáculos de fuegos artificiales y se reparte el *vassilopita*. Se considera que la persona a quien le toca la moneda es afortunada. El día 1 de enero se celebra la fiesta de San Basilio, en la que es costumbre intercambiar regalos.

HOLANDA

Una peligrosa costumbre extendida en Holanda es la de hacer explotar lecheras en la noche de fin de año. Debido a los riesgos que conlleva esta tradición, recientemente ha sido prohibida en muchas ciudades. Otra tradición holandesa en el año nuevo es la de lanzarse a nadar a las frías aguas del mar del Norte.

JAPÓN

En Japón, la fiesta del año nuevo se denomina *Shogatsu*, y es una de las más importantes del año. Las casas se adornan con decoraciones de bambú, ramas de pino y tiras de papel blanco. En Nochevieja, justo antes de la medianoche la televisión retransmite las ceremonias de los templos, en las que se golpea un enorme gong 108 veces para limpiar y borrar los 108 errores del año que termina.

El día de Año Nuevo, después de desayunar la gente se viste con los kimonos tradicionales para ir a un templo y rezar pidiendo buena suerte. En los templos se pueden comprar los *daruma*, o muñecos de los deseos, unos muñecos huecos sin piernas ni brazos y con barba. Sus ojos solo son de color blanco, pero uno de los ojos se colorea de negro con un rotulador cuando se hace un propósito para el nuevo año. Si ese propósito se cumple a lo largo del año, se colorea también el otro ojo.

ITALIA

En Italia era costumbre celebrar la Nochevieja tirando muebles viejos por la ventana, aunque esta tradición actualmente está desapareciendo. Cuando suenan las doce, los italianos comen una cucharada de lentejas con cada campanada. Se supone que esto trae prosperidad, ya que las lentejas representan monedas. También se celebran espectáculos de fuegos artificiales por todo el país.

RUSIA

En Rusia hay dos celebraciones de fin de año: el «Viejo Año Nuevo», que se celebra el 14 de enero, siguiendo el calendario ortodoxo tradicional, y el «Nuevo Año Nuevo», que se celebra en la noche del 31 de diciembre. En la celebración del «Nuevo Año Nuevo» la gente sigue la retransmisión de las campanadas de medianoche desde el reloj del Kremlin, en Moscú.

La gente emplea los últimos doce segundos del año en formular en silencio sus deseos para el año que empieza. Y Ded Moroz (el abuelo frío o abuelo de las nieves) y su nieta Snegurochka (la doncella de nieve) se encargan de repartir los regalos entre los niños.

TRADICIONES DE AÑO NUEVO Y LOS BUENOS PROPÓSITOS

EL PRIMER DÍA DEL AÑO

Después de las largas celebraciones de Nochevieja, el día de Año Nuevo (1 de enero) es costumbre dedicarlo sobre todo a descansar. La gente suele levantarse tarde, y la principal celebración del día es generalmente la comida, que se celebra en familia con platos tradicionales como el cordero asado o el cochinillo y postres navideños.

Una buena forma de empezar el año es escuchando música. Cada año, la Orquesta Filarmónica de Viena ofrece un concierto en la mañana del 1 de enero que se retransmite en directo a todo el mundo desde la Sala Dorada de la Musikverein de Viena. El programa consiste en piezas compuestas por los distintos miembros de la familia Strauss (Johann Strauss padre, Johann Strauss hijo, Josef Strauss y Eduard Strauss), o por otras piezas de la misma época. Se trata de una música festiva y alegre que incluye numerosos valses, marchas y polcas.

Este concierto termina siempre con dos propinas que no figuran en el programa inicial. La primera es el vals del *Danubio azul*, y es tradición que la orquesta haga una entrada en falso, deje de tocar y aproveche el momento para que el director felicite el

nuevo año a los espectadores, para luego retomar la pieza. La última pieza del concierto es siempre la *Marcha Radetzky* de Johann Strauss padre. Durante su ejecución, el público presente en la sala de conciertos acompaña a la orquesta con aplausos que se vuelven más suaves o más fuertes según las indicaciones del director.

Otra forma muy distinta de celebrar el 1 de enero es contemplar las asombrosas acrobacias de los deportistas que participan en el tradicional torneo de saltos de esquí celebrado cada año en la localidad alemana de Garmisch-Partenkirchen. Hasta el año 2010, esta vistosa competición se emitía en directo a través de la televisión pública, pero desde ese año, por motivos económicos, solo se retransmite a través de canales especializados en deportes.

HAZ TU LISTA DE PROPÓSITOS

Casi todos, al empezar un nuevo año, nos proponemos hacer lo posible para que sea mejor que el anterior. Pero nuestras buenas intenciones a menudo se nos olvidan al cabo de unos días.

Una forma de transformar los buenos deseos del 1 de enero en cambios reales que mejoren nuestra vida consiste en elaborar una lista de propósitos para el nuevo año. Si te decides a hacerlo, estos son algunos consejos que conviene tener en cuenta a la hora de escribir tu lista.

1. No te pongas un número demasiado alto de objetivos: cuatro o cinco son suficientes, y si te propones muchos más es posible que al final tus esfuerzos se dispersen y resulten menos eficaces.

2. Elige objetivos posibles y que dependan de ti: no hay que confundir los propósitos con los deseos. Un propósito es algo que nos proponemos hacer, y que por lo tanto depende de nuestra voluntad. No sirve de nada proponerse algo que no está en nuestras manos conseguir. Debemos concentrarnos en objetivos que sí dependen de nosotros.

3. Elige objetivos concretos: si te propones algo tan vago como «ser feliz» o «ser bueno», probablemente no sabrás muy bien por dónde empezar para alcanzar tu objetivo. Es mejor proponerse cosas concretas, como «leer cuatro libros al mes», «controlar mis reacciones cuando las cosas no me salen bien» o «ahorrar cada semana la mitad de mi paga».

4. Elige objetivos que realmente te importen, y por los que creas que vale la pena luchar. Si tus objetivos no son tuyos, sino de tus padres o de otras personas, seguramente pondrás menos entusiasmo a la hora de esforzarte por ellos.

5. Repasa cada semana tu lista de propósitos y hazte una lista semanal de tareas, una relacionada con cada propósito que te has marcado para el año. Al final de la semana, pon una cruz delante de cada tarea que hayas realizado.

6. No te rindas si pasas algunos días sin luchar por alcanzar tus propósitos. En realidad, cualquier día del año puede servirnos para retomar nuestra lista o hacer una nueva.

LA FIESTA DE SAN NICOLÁS

La fiesta de San Nicolás se celebra el día 6 de diciembre, y es muy importante para los niños en muchos países de Europa. Es uno de los santos más populares en todo el mundo cristiano, y en torno a él existen numerosas leyendas. Tradicionalmente, la gente solía invocarlo en los naufragios, en los incendios y en situaciones de crisis económica.

AUSTRIA Y ALGUNAS REGIONES DE ALEMANIA

El acompañante de san Nicolás es Krampus, una criatura parecida a un demonio, que se supone que castiga a los niños que se portan mal. La noche del 5 de diciembre es la Krampusnacht: muchos jóvenes se visten de Krampus y merodean por las calles haciendo ruido con cadenas y campanas para asustar a los niños.

BÉLGICA Y HOLANDA

Este santo recibe el nombre de Sinterklaas, y llega en barco la noche del 5 de diciembre para repartir regalos entre los niños. Estos dejan sus zapatos preparados con alguna zanahoria o heno para el caballo del santo. A la mañana siguiente, los niños encontrarán golosinas o un pequeño regalo en los zapatos, pero los regalos más importantes les esperan en un saco en el exterior de la casa (o a veces en el salón). Sinterklaas lleva ropas de obispo, y sus ayudantes tienen las caras negras y ropas orientales.

FRANCIA

Esta fiesta se celebra sobre todo en las regiones de Alsacia, Lorena y Nord-Pas-de-Calais. El día 6 de diciembre es costumbre hacer galletas de jengibre y *mannala* (un bizcocho con la forma del santo). En el colegio, los niños cantan canciones y hacen manualidades sobre san Nicolás, y en algunas escuelas infantiles se presenta un personaje disfrazado del santo y acompañado de otro actor que representa a *Le Père Fouettard*, repartiendo chocolatinas y pequeños regalos.

POLONIA, CHEQUIA, ESLOVAQUIA, ESLOVENIA Y UCRANIA

San Nicolás se presenta acompañado por un ángel y un diablo, y deja golosinas y pequeños regalos bajo la almohada de los niños, en sus zapatos o en el alféizar de su ventana.

LA LEYENDA DE SAN NICOLÁS Y EL CARNICERO

Una de las leyendas más conocidas sobre este personaje es de origen francés, y cuenta la historia de tres niños que se perdieron en el campo y fueron a buscar refugio en casa de un malvado carnicero, que los mató y los metió en salazón en un enorme barreño.

San Nicolás se presentó aquella noche y los resucitó, y los niños pudieron regresar sanos y salvos con sus familias. Al carnicero se le conoce como *Le Père Fouettard*. Muchos relieves y pinturas de las iglesias de Francia representan este milagro.

SAN ESTEBAN

El día 26 de diciembre está dedicado en el calendario católico a san Esteban. Este santo vivió en el siglo I y se le considera el primer mártir de la Iglesia. Su culto está extendido por todo el mundo, y en España existen muchas iglesias dedicadas a él y de pueblos que llevan su nombre.

Pero sin duda, donde más importancia tiene la fiesta de San Esteban es en Cataluña. Allí, este día se celebra más que la Nochebuena. Se trata de un día para pasar en familia y compartir una comida especial, en la que el plato estrella son los canelones, que tradicionalmente se hacían con las sobras de la comida de Navidad. De postre, no pueden faltar los turrones y unos dulces llamados *neulas*, que se parecen a los barquillos.

Una tradición típica de este día consiste en hacer que los niños reciten un poema breve en voz alta, a cambio de lo cual reciben dinero de los adultos.

Existe en Cataluña un refrán sobre esta fiesta que dice: *Per Nadal, cada ovella al seu corral; per Sant Esteve, cada ovella a casa seva».* Literalmente significa: «En Navidad, cada oveja a su corral; en San Esteban, cada oveja en su casa». El refrán hace alusión a la costumbre de celebrar una gran reunión familiar en Navidad, y una comida familiar más íntima el 26 de diciembre.

En Baleares, el día de San Esteban se conoce como *Segon dia de Nadal*, que significa «Segundo día de Navidad». Ese día es tradición ir a comer con los abuelos paternos, ya que la fiesta de Navidad se suele pasar con los abuelos maternos.

«BOXING DAY»

En el Reino Unido y en algunos países que pertenecieron en otros tiempos a la corona británica, el día 26 de diciembre se conoce como *Boxing day* o «día de las cajas». Es una fecha que tradicionalmente solía dedicarse a realizar donaciones y regalos a los más desfavorecidos.

La celebración de esta fiesta se remonta al parecer a la Edad Media, y probablemente hace alusión a la costumbre de colocar cajas para la donación de limosnas en las iglesias, con el fin de recaudar dinero para los pobres.

En Gran Bretaña, esta fiesta tenía especial importancia para los sirvientes de las casas de los nobles y de las personas acomodadas. Estas gentes tenían que trabajar el día de Navidad para que las celebraciones de sus patrones saliesen lo mejor posible. A cambio, tenían libre el día 26 de diciembre para ir a reunirse con sus seres queridos, y la familia para la que trabajaban les regalaba una «caja de Navidad» con comida y regalos.

Actualmente, el *Boxing Day* se asocia sobre todo con las compras. Al igual que ocurre con el *Black Friday* («viernes negro») celebrado en Estados Unidos después de Acción de Gracias, se trata de una fecha en la que las tiendas ofrecen grandes rebajas y descuentos. Muchas de ellas abren a las cinco de la mañana e incluso antes, y es habitual que se formen largas colas para aprovechar las ofertas.

LOS SANTOS INOCENTES

El 28 de diciembre se celebra en España y en numerosos países de América Latina la fiesta de los Santos Inocentes. En este día se conmemora la matanza de niños que ordenó el rey Herodes poco después del nacimiento de Jesús.

Según la tradición católica, cuando los Reyes Magos se dirigían a Belén guiados por una estrella para conocer al Mesías recién nacido, se detuvieron en el palacio del rey Herodes y le contaron el propósito de su viaje. Herodes comprendió por el relato de los reyes que el niño que acababa de nacer estaba destinado a convertirse en un personaje muy poderoso, que podía hacerle sombra. Por eso, decidió localizarlo y matarlo. Para ello les pidió a los reyes que a su regreso le informaran sobre el lugar donde vivía el pequeño, asegurando que él también quería presentarle sus respetos.

Sin embargo, los Reyes Magos fueron avisados por un ángel de las verdaderas intenciones de Herodes, y decidieron no contarle nada.

Al verse incapaz de localizar al recién nacido Mesías, Herodes ordenó matar a todos los niños menores de dos años que vivían en el reino, convencido de que uno de ellos debía ser por fuerza el pequeño que estaba buscando. La matanza fue terrible, pero no consiguió su objetivo, ya que María y José habían sido avisados por un mensaje divino de lo que iba a ocurrir y habían huido a Egipto.

Los Santos Inocentes son, para la Iglesia católica, todos los niños asesinados por Herodes en aquella matanza.

EL ORIGEN DE LAS «INOCENTADAS»

En España y muchos países latinoamericanos, el 28 de diciembre es un día dedicado a gastar bromas. Probablemente esta tradición tenga sus orígenes en una festividad anterior llamada «fiesta de los locos» que se celebraba durante la Edad Media. Se trataba de una jornada de jolgorio y diversión en la que todo estaba permitido y la culpa no podía recaer sobre nadie.

En un intento de frenar los excesos de la fiesta de los locos, la Iglesia la hizo coincidir con el día dedicado a la matanza de los inocentes. Pero algunos rasgos de la antigua fiesta de los locos se mantuvieron, concretamente el de gastar bromas.

Las bromas que se gastan el día de los inocentes se llaman «inocentadas». Una de las costumbres más antiguas relacionadas con este día es la de colgar un monigote en la espalda de alguien. Esta broma clásica consiste en recortar un monigote de papel blanco y pegárselo en la espalda a alguien sin que se de cuenta (puedes usar para ello cinta adhesiva). La persona en cuestión llevará el monigote puesto hasta que alguien le avise… o hasta que se le caiga. Otras bromas habituales son la de pegar una moneda al suelo, cambiar la hora o sustituir azúcar por sal. ¡Pero hay que tener cuidado, porque es posible que estas bromas no sienten muy bien!

También se venden numerosos objetos de broma en las tiendas especializadas, donde se pueden encontrar artículos muy curiosos. Estos son algunos de los más tradicionales: arañas e instectos falsos, bombas fétidas, cacas de perro falsas, bolígrafo lanza-agua, cucharilla que se dobla al cogerla, tinta mágica, cubito de hielo con mosca en el interior, jabón que mancha; el grifo loco (artículo que se coloca en el grifo para que el agua salga de colores), etc.

Tanto en España como en numerosos países de Latinoamérica, es costumbre que los periódicos, blogs y programas de televisión aprovechen el día de los Inocentes para difundir noticias falsas y divertidas. En los últimos años, muchas celebridades se han unido a esta tradición y festejan el día de los Inocentes dando noticias falsas sobre su vida a través de las redes sociales.

TRADICIONES MEDIEVALES: LA FIESTA DE LOS LOCOS

En algunos lugares de España se conservan aún tradiciones heredadas de la fiesta de los locos que solía celebrarse en la Edad Media después de la Navidad. En los días dedicados a esta fiesta la gente se disfrazaba y bailaba, y era costumbre vestir a los niños de obispos u otros mandatarios de la Iglesia.

Esta costumbre aún pervive en nuestros días en fiestas como El carnaval de Alcázar de San Juan (Ciudad Real) que se celebra entre el 22 y el 28 de diciembre. En esta fiesta se elige a un «obispillo» en un concurso de disfraces infantiles, se cuelgan peleles hechos con ropa vieja de los balcones y se celebran desfiles de comparsas por las calles.

Otra fiesta muy peculiar es la de los «enharinados» *(Els Enfarinats)* de Ibi (Alicante), en la que dos bandos intentan hacerse con el poder de la ciudad en una batalla con harina, petardos y verdura.

LA EPIFANÍA O DÍA DE REYES

Ya hemos hablado en este libro de esos maravillosos personajes navideños que son los Reyes Magos. Su fiesta se celebra el día 6 de enero, y se trata de una celebración más antigua aún que la Navidad. Esta fiesta recibe también el nombre de «Epifanía», que para los cristianos representa el momento en el que Jesús se da a conocer como hijo de Dios sobre la Tierra.

LA CABALGATA DE REYES

Este día se celebra desde hace mucho tiempo con cabalgatas especiales representando la llegada de los Reyes Magos a Belén. En el siglo XV existía en la ciudad de Florencia (Italia) una hermandad conocida como «Compañía de los Magos» o «Compañía de la Estrella», que cada tres años imitaba el viaje de los Reyes Magos con un suntuoso desfile por las calles de la ciudad.

En España, la fiesta de Reyes comienza con las cabalgatas del 5 de enero, en las que los niños pueden ver a los Reyes Magos en sus carrozas, o en ocasiones montados en camellos. Posteriormente se celebra una cena familiar y se ponen los zapatos bajo el árbol de Navidad o en otro rincón de la casa. En muchos hogares es costumbre dejar tres trozos de turrón y tres copas de cava o champán para los reyes, y algo de leche para los camellos.

Al día siguiente, los zapatos aparecen rodeados de regalos que los Reyes Magos han dejado para los distintos miembros de la familia. Después de abrir los regalos es tradicional desayunar el roscón de reyes, un bizcocho en forma de corona con frutas confitadas y a veces relleno de nata, trufa o cabello de ángel. El roscón contiene una sorpresa, que es una pequeña figura. La persona que se encuentra la sorpresa en su trozo de roscón se considera afortunada. A veces, los roscones contienen también una alubia, y se supone que la persona que la encuentra debe pagar el roscón del año siguiente.

En México, la noche del 5 de enero se come una rosca de reyes con chocolate o café. Dentro de la rosca se encuentran una o varias figuritas del Niño Jesús, y el que las encuentra debe preparar una fiesta para el día de la Candelaria (2 de febrero), ofreciendo tamales y (masa de maíz con diversos rellenos) atole (una bebida caliente hecha con harina de maíz).

En Perú, aunque el 6 de enero los reyes no reparten regalos, se realiza una celebración llamada Bajada de Reyes. Los participantes (una familia o una comunidad) van desmontando el nacimiento. Cada figura o adorno tiene un padrino encargado de desmontarla, a cambio de dejar una ofrenda de dinero para enriquecer el nacimiento del año siguiente.

En Francia, el día de Reyes no es festivo, pero se conserva la costumbre de comer la tradicional *galette des rois,* que en la zona norte es un pastel hojaldrado y en el sur se parece mucho al roscón de reyes español. Dentro de la *galette* se oculta una *fève* o haba, que en un principio era una alubia real, pero que actualmente suele ser una figurita especialmente fabricada para la ocasión.

LA FIESTA DE REYES DE IBI

La localidad alicantina de Ibi, donde la industria del juguete solía ser muy importante, celebra el día de Reyes de una forma especial. Antes del 6 de enero se reparten por los monumentos de la ciudad telegramas gigantes en los que se anuncia la llegada de los Reyes. El día 4, un heraldo se presenta en la plaza de los Reyes Magos para recoger las cartas de niños y mayores y entregárselas personalmente a los reyes. El día 5 llega a Ibi la gran caravana de los Reyes Magos con sus pajes y los «negros», que son unos personajes que llevan escaleras para subir a los balcones y dejar en ellos los regalos que los niños han pedido en sus cartas.

Ibi es además la única ciudad del mundo que tiene un monumento dedicado a los Reyes Magos y una Casa Museo de los Reyes.

«HANUKKAH»

Esta fiesta judía se celebra durante ocho días a partir del 25 del mes de *Kislev*, que coincide aproximadamente con el mes de diciembre del calendario gregoriano.

La fiesta conmemora la liberación del templo en Jerusalén después de que el rey Antíoco lo profanara en el año 167 a. C. Según el Talmud (libro sagrado de los judíos) el sacerdote encargado de retomar las ceremonias en el templo después de su profanación necesitaba aceite de oliva puro para encender las lámparas, pero solo pudo encontrar aceite suficiente para un día. Sin embargo, gracias a un milagro, el aceite alimentó las lámparas durante ocho días en total, que era el tiempo necesario para preparar el nuevo aceite.

La fiesta se celebra encendiendo las luces de un candelabro de nueve brazos, con una vela central más elevada y cuatro velas a cada lado. El candelabro se llama *menorah* o *hanukkah*, y la vela del centro se llama *shamash*. Esta vela se enciende desde el primer día. Las otras ocho velas representan cada noche de la fiesta, y se van encendiendo progresivamente desde el primer día hasta el octavo. A veces, las velas se sustituyen por lámparas de aceite, y en casos especiales (por ejemplo en hospitales y residencias de ancianos) se utilizan luces eléctricas. En las familias de origen sefardí (español), se enciende una única *menorah* para toda la casa, pero el resto de los judíos encienden una *menorah* por cada miembro de la familia.

La *menorah* con las luces se debe colocar cerca de una ventana o de una puerta, ya que tradicionalmente servía para recordarles a los que pasaban ante la casa el milagro de *hanukkah*. En algunos lugares, se enciende una gran *menorah* pública.

Después de encender las luces, se cantan canciones e himnos y se juega al *dreidel*, que es una especie de peonza con letras hebreas en los distintos lados. La costumbre es comer comidas fritas en aceite de oliva para conmemorar el milagro. Algunas de las más típicas son las tortas de patata, conocidas como *latke*, los *bimuelos* («buñuelos») y las rosquillas fritas y rellenas de mermelada. También es tradicional comer platos que lleven queso.

Muchas familias intercambian regalos cada noche, o bien animan a los más pequeños de la casa a realizar donativos para las personas necesitadas.

En Estados Unidos, a finales del siglo XX esta fiesta fue adquiriendo cada vez mayor importancia entre las familias judías que buscaban una alternativa a las celebraciones cristianas de la Navidad, ya que las fechas a menudo coinciden.

«KWANZAA»

Kwanzaa es una fiesta civil de la cultura afroamericana que se celebra entre el 26 de diciembre y el 1 de enero. Fue fundada por Maulana Karenga en 1966, y su nombre procede de una expresión suajili *matunga ya kwanzaa*, que significa «primeras frutas». Esta celebración se instituyó para animar a los afroamericanos de Estados Unidos a recuperar sus raíces culturales africanas. Cada día de la *kwanzaa* está dedicado a un principio, en el siguiente orden:

1. *Umoja* (Unidad)
2. *Kujichagulia* (Autonomía)
3. *Ujima* (Responsabilidad)
4. *Ujamaa* (Cooperación)
5. *Nia* (Objetivo)
6. *Kuumba* (Creatividad)
7. *Imani* (Fe)

En la celebración de *Kwanzaa*, las casas se decoran con telas vistosas, frutas frescas y objetos de artesanía africana. Se rinde tributo a los antepasados y se encienden las velas de la minara, un candelabro especial con una vela central negra, tres velas verdes a la derecha y tres velas rojas a la izquierda. La primera noche se enciende la vela central, y en las siguientes noches se van encendiendo progresivamente las demás velas, alternando una verde y una roja.

La vela negra representa a la raza africana, las rojas representan la sangre vertida por los afroamericanos, y las verdes representan la tierra de África.

En principio, la *Kwanzaa* se instituyó con la idea de sustituir a otras fiestas, pero actualmente muchas familias deciden celebrarla junto con otras festividades como la Navidad y el Año Nuevo.

APÉNDICE

LA NAVIDAD
Y LOS
ARTISTAS

LA NAVIDAD EN LA PINTURA Y EN LA ESCULTURA

El nacimiento de Jesús ha sido uno de los temas fundamentales del arte cristiano desde sus inicios. Aparece ya en el arte paleocristiano y bizantino de los siglos V y VI d. C., pero es a partir de la Edad Media cuando alcanza su máximo esplendor, con las representaciones de la vida de Jesús en relieves, vidrieras y retablos. Los artistas medievales se inspiraban para realizar sus obras en los pasajes de los Evangelios de Mateo y Lucas que narran el nacimiento de Jesús en Belén, pero también incorporaban elementos de la tradición oral cristiana y de otros libros no pertenecientes a la Biblia, como algunos Evangelios apócrifos o *La leyenda dorada* (libro sobre vidas de santos escrito en el siglo XIII por Santiago de La Vorágine).

LOS TIPOS DE ESCENAS SOBRE EL NACIMIENTO DE CRISTO

El nacimiento de Jesús (siglo XVI), relieve de la iglesia de San Bartolomé, Belmonte, Cuenca. La representación escultórica de la vida de Jesús tiene su máxima expresión en los relieves pórticos y retablos de iglesias y monasterios.

La forma de representar la escena del nacimiento de Cristo ha ido cambiando a lo largo de los siglos. En las primeras representaciones medievales, inspiradas en el arte bizantino, la Virgen solía aparecer tendida en su lecho con el Niño al lado. A partir del siglo XIII empieza a representarse a Jesús en el pesebre, y en la Baja Edad Media muchos artistas comienzan a representar a María con el Niño en sus brazos. Poco a poco, los artistas fueron incorporando otros elementos como la mula y el buey, el portal (a veces sustituido por una caverna o por unas ruinas clásicas) y la figura de san José, siempre en segundo plano.

En los siglos XV, XVI y XVII, los pintores italianos, flamencos y españoles dedicaron numerosas obras a los temas relacionados con la Navidad por encargo de sus clientes (tanto instituciones religiosas como clientes privados).

Las escenas que más se repiten en el arte, a lo largo de estos siglos, son las siguientes:

Natividad

Es la representación de María, José y Jesús en el portal de Belén. El portal a menudo es sustituido por una cueva o una estructura arquitectónica. San José suele aparecer como un anciano, y a veces se le representa dormido. Otros elementos de la escena suelen ser los ángeles.

Adoración de Cristo

Esta escena está inspirada en una visión narrada por la mística santa Brígida de Suecia (siglo XIV), y fue muy popular entre los pintores del norte de Europa. Representa al Niño Jesús en el suelo emitiendo una suave luz y a la Virgen inclinada o arrodillada ante él, adorándolo, a veces rodeada de otros personajes como san José y los ángeles.

Adoración de los pastores

Representa a los pastores acudiendo al portal para venerar al Niño y ofrecerle presentes.

Adoración de los Reyes Magos

Representa a los reyes ante el portal de Belén, ofreciendo sus regalos de oro, incienso y mirra al Niño Jesús. Esta escena solía gustar mucho a los clientes de los pintores renacentistas, porque permitía introducir elementos pintorescos y exóticos en la pintura.

Huida a Egipto

Representa el viaje de Jesús, María y José hacia Egipto huyendo de las matanzas ordenadas por Herodes, que se conmemoran en la festividad de los Santos Inocentes.

Otras escenas muy comunes en el arte medieval, renacentista y son:

Anunciación

Representa el momento en el que un ángel anuncia a María que va a ser madre del hijo de Dios.

Visitación

Escena del encuentro entre María y su prima Isabel cuando ambas estaban esperando a sus respectivos hijos. El hijo de Isabel sería más tarde san Juan Bautista.

Virgen con el Niño

Se trata de una representación de María con Jesús en sus brazos, y es una de las escenas preferidas por los artistas desde la Edad Media hasta el siglo XVIII.

Presentación de Jesús en el templo

Esta escena está inspirada en el *Evangelio según san Lucas*, que narra la presentación de Jesús ante los sacerdotes en el templo de Jerusalén. Como marcaba la tradición judía, los padres de Jesús lo llevaron al templo y ofrecieron en sacrificio dos tórtolas. En el templo se encontraba Simeón, que tomó al Niño en brazos y lo bendijo.

ALGUNOS EJEMPLOS DE ESCENAS

La adoración de los pastores, Giorgione (1477-1510)

Esta pintura del Renacimiento fue realizada entre 1505 y 1510, y casi todos los expertos se la atribuyen al pintor veneciano Giorgione, aunque algunos piensan que pudo ser pintada por Tiziano. La técnica utilizada es el óleo sobre tabla. El pintor ha situado a los pastores en el centro del cuadro, convirtiéndolos en los protagonistas de esta pintura. Actualmente este cuadro se encuentra en la National Gallery of Art de Washington D. C., en Estados Unidos.

Tríptico Portinari, Hugo Van der Goes (1440-1482)

Esta obra maestra del arte flamenco del Renacimiento fue pintada en Brujas entre 1476 y 1478, y actualmente se exhibe en la Galería Uffizi de Florencia. Fue encargada por el italiano Tommaso Portinari y enviada a la iglesia de Santa Maria Nuova en la ciudad de Florencia una vez terminada. Allí ejerció una gran influencia entre los pintores florentinos de la época, como Ghirlandaio y Filippino Lippi.

En la tabla central del tríptico (arriba a la izquierda), la Virgen María ocupa el centro de la composición, y el Niño recién nacido se encuentra desnudo, en el suelo. Alrededor, los pastores aparecen representados como campesinos, mezclados con los ángeles. El ala derecha del tríptico presenta en primer plano a María Portinari con sus hijas y a las santas Margarita y María Magdalena. En el paisaje de fondo se puede ver a los Reyes Magos (detalle, arriba a la derecha). El ala izquierda representa a Tommaso Portinari junto con sus hijos y los santos Antonio y Tomás. El paisaje del fondo representa el viaje a Belén de José y María.

La adoración del Niño, Correggio (c. 1489-1534)

Este óleo sobre lienzo fue realizado en 1526 por el pintor italiano Correggio, y se encuentra actualmente en la Galería de los Uffizi de Florencia, Italia. La escena que representa está inspirada en las visiones de santa Brígida de Suecia, en las que describe a María postrándose ante Jesús. La suave luminosidad que parece emanar de los personajes y la armonía de los colores son algunas de sus características más sobresalientes.

La adoración de los Reyes Magos, Hans Memling (c. 1433-1494)

Aunque nació en Maguncia (Alemania), Memling trabajó durante casi toda su vida en los Países Bajos. En esta representación de la adoración de los reyes, que forma parte del *Tríptico de la Epifanía*, conservado en el Museo del Prado, vemos a María con el Niño ocupando el centro de la escena y a los tres reyes en diferentes posiciones a su alrededor, mientras san José, vestido de rojo, se mantiene en segundo plano. La armonía de la composición y la minuciosidad de los detalles son algunos de los rasgos característicos de esta obra, que después de la restauración de 1986 ha recuperado en gran medida su colorido original.

La adoración de los Reyes Magos, de Diego Velázquez (1599-1660)

Esta pintura (a la derecha) fue realizada por Velázquez en 1619, y se conserva en el Museo del Prado. Se trata de una obra de juventud del pintor. La escena se caracteriza por la ausencia de paisaje o elementos arquitectónicos relevantes, ya que las figuras de María, el Niño, los tres reyes, san José y un paje llenan prácticamente toda la superficie del lienzo. Destaca el aspecto cotidiano de la escena y la humanización de los personajes, muy lejos de las visiones idealizadas de los pintores renacentistas.

La adoración de los Reyes Magos, Pedro Pablo Rubens (1577-1640)

El pintor barroco Rubens pintó la escena de adoración de los Magos en varias ocasiones. La que aparece en la imagen corresponde a un lienzo que se conserva actualmente en el Museo Real de Bellas Artes de Amberes.

En este cuadro, resalta el dramatismo de la composición, llena de elementos pintorescos y exóticos. Los paisajes han sido sustituidos por personajes secundarios (pajes o porteadores de mercancías), y aunque el centro del cuadro parece ocuparlo el rey Baltasar, en realidad el foco de atención se encuentra en el Niño Jesús, del que parece emanar la luz que baña al resto de los personajes.

LA NAVIDAD EN LA LITERATURA

Las fiestas navideñas aparecen reflejadas en numerosas obras literarias, sobre todo a partir del siglo XIX. En ocasiones, se trata de relatos cortos donde la Navidad adquiere un protagonismo especial; en otras, sirve de marco a episodios memorables dentro de algunas novelas. La Navidad tiene especial importancia, entre otras, en las siguientes obras:

El Cascanueces y el rey de los ratones, E. T. A. Hoffmann, (1776-1822)

Escrito en 1816, cuenta la historia de un cascanueces de juguete que llega a la vida de la joven Marie como un juguete más de los que la niña encuentra al abrir los regalos de Navidad. Pero esa misma noche, los juguetes cobran vida… y Marie descubre cómo el Cascanueces se pone al mando de todos ellos en una guerra contra los ratones de la casa.

El abeto y *El sueño del viejo roble (un cuento de Navidad),* Hans Christian Andersen (1805-1875)

Son dos de los cuentos de Andersen más directamente relacionados con la Navidad. *El abeto* cuenta la historia de un abeto elegido para convertirse en árbol de Navidad. En *El sueño del viejo roble*, el árbol sueña en Nochebuena que crece hasta alcanzar las nubes, desprendiéndose del suelo, antes de caer abatido por la tormenta en la mañana de Navidad.

Canción de Navidad, Charles Dickens (1812-1870)

Este libro es el clásico por excelencia dedicado a la Navidad, y se ha convertido en todo un mito contemporáneo. En él, Dickens cuenta la historia del avaro y egoísta Mr. Scrooge, que recibe en la Nochebuena la visita de tres espíritus: el de las Navidades pasadas (que le recuerda los tiempos de su infancia, cuando él aún era buena persona), el de las Navidades presentes (que le muestra las dificultades que pasan algunas familias mientras él atesora su dinero) y el de las Navidades futuras (que le anuncia el recuerdo que va a dejar entre los que lo conocen si no cambia).

Mujercitas, **Louisa May Alcott (1832-1888)**

Esta conocida novela narra la historia de cuatro hermanas adolescentes durante la guerra de Secesión Americana. Los primeros capítulos se sitúan en la época de Navidad, y ofrecen un retrato memorable de las celebraciones navideñas en la América del siglo XIX.

El carbunclo azul, **Arthur Conan Doyle (1859-1930)**

Recogido en *Las Aventuras de Sherlock Holmes,* este relato del célebre detective y su inseparable Watson se desarrolla en época navideña, y comienza con la aparición de un valiosísimo carbunclo azul dentro de un ganso que va a ser preparado para la cena de Navidad. La joya pertenecía a la condesa de Morcar y ha sido misteriosamente robada… Naturalmente, Sherlock Holmes se dedicará a investigar hasta descubrir al autor del delito.

Cartas de Papá Noel, **J. R. R. Tolkien (1892-1973)**

Esta colección de relatos escrita por el autor de *El Señor de los anillos* está compuesta por las cartas que el escritor les escribía a sus hijos cada año de parte de Papá Noel antes de la Navidad.

Cómo el Grinch robó la Navidad, **Dr. Seuss (1904-1991)**

Este libro fue publicado originalmente en 1957, y como todos los de este escritor y caricaturista estadounidense, combina divertidas ilustraciones con una ingeniosa historia escrita en verso. El libro presenta una visión crítica del lado comercial de las fiestas navideñas, y ha sido traducido a numerosos idiomas, incluido el español.

Sueños de Nieve, **Eric Carle (1929)**

Este álbum ilustrado del célebre autor e ilustrador estadounidense de libros infantiles (autor entre otros, de *La oruga glotona)* cuenta la historia de un granjero que sueña con la nieve y se despierta la víspera de Navidad.

El expreso Polar, **Chris Van Allsburg (1949)**

Este libro del escritor e ilustrador estadounidense de libros infantiles, que inspiró la película del mismo nombre, cuenta las aventuras de un niño que tiene la oportunidad de viajar en un misterioso tren con destino al Polo Norte que acude a buscarlo en la víspera de la Navidad. Después de muchas aventuras y sucesos fantásticos, el protagonista llega con otros niños a casa de Santa Claus.

Detrás de las ventanas encantadas, Cornelia Funke (1958)

En este libro de la popular autora alemana el protagonista es un calendario de Adviento de estilo antiguo que en realidad sirve de portal para acceder a un extraño mundo donde cada casa es un calendario de Adviento diferente, y muchas están siendo abandonadas por culpa de la popularidad cada vez mayor de los calendarios de Adviento llenos de chocolatinas.

Stick Man, Julia Donaldson (1914)

Este delicioso cuento de la autora británica (autora, entre otros, de *El Gruffalo*) cuenta también con las divertidas ilustraciones de Axel Scheffer, y narra la historia de un hombre palo que sufre terribles y cómicas aventuras hasta que finalmente es rescatado por Santa Claus, que lo lleva con su familia. De momento, este libro no ha sido traducido al español, pero puede encontrarse en inglés.

Navidad en Ganímedes, Isaac Asimov (1920-1992)

¿Se pueden mezclar Navidad y ciencia-ficción en una misma historia? Isaac Asimov lo hizo en esta novela en la que unos obreros extraterrestres que viven en un lejano planeta oyen la leyenda humana de Papá Noel y exigen que este se manifieste y les lleve regalos, ya que si no lo hace se pondrán en huelga.

Las Navidades de Hércules Poirot, Agatha Christie (1890-1962)

Este es un clásico de la literatura policíaca de la célebre escritora británica en la que se mezclan crímenes y ambiente navideño en una historia llena de intriga.

Un recuerdo navideño, Truman Capote (1924-1984)

Este relato corto narra la amistad entre un niño y una mujer que cada Navidad se aíslan del mundo para concentrarse en la elaboración de tartas de fruta, que son para ellos el símbolo de todo lo que los une y les gusta. Se trata de una historia llena de ternura y melancolía que siempre consigue emocionar al lector.

Nochebuena, Nikolai Gógol (1809-1852)

Este relato cuenta una historia entre surrealista y mágica que se desarrolla en Nochebuena y mezcla ingredientes de la tradición pagana con los elementos religiosos de las celebraciones navideñas. Narra las aventuras de un pintor de iconos llamado Vakula que se afana por conseguir el amor de la hermosa Oksana durante la Nochebuena, mientras las brujas vuelan en sus escobas por el cielo y el demonio decide esconder la luna para arrastrar a los mortales.

LA NAVIDAD EN LA MÚSICA

Ya hemos hablado de la importancia de los villancicos en las celebraciones navideñas. Pero no solo la música popular ha producido canciones inspiradas en estas fiestas. También los grandes compositores han consagrado algunas de sus obras a la Navidad. Estas son algunas de las obras musicales más famosas relacionadas con estas fechas:

Concierto de Navidad, Corelli (1653- 1713)
Aunque la producción de Arcangelo Corelli es escasa, la fama e influencia del compositor y violinista italiano han sido enormes. Compuesto hacia 1690, este concierto concluye con una bella pastoral cuya delicadeza hace que sea una de las piezas más interpretadas en estas fechas.

Oratorio de Navidad, Johann Sebastian Bach (1685-1725)
Este conjunto de seis cantatas compuestas en 1734 para ser interpretadas en los días de Navidad es una de las obras más célebres del repertorio religioso del genial compositor alemán.

La orquesta de cámara italiana *I musici,* en el monasterio de la Encarnación de Madrid. Los conciertos en las iglesias forman parte de las celebraciones navideñas en muchas ciudades. A la derecha, partitura autógrafa y manuscrita de Wolfang Amadeus Mozart, cuyo Réquiem, es una de las piezas de música sacra más célebres.

Oratorio de Navidad, Camille Saint-Saëns, 1835-1921)

En esta obra compuesta en 1858, el compositor, director de orquesta, pianista y organista francés concede al coro y al órgano un gran protagonismo.

El Cascanueces, Tchaikovsky (1840-1893)

Este ballet, inspirado en el cuento de hadas *El Cascanueces y el rey de los ratones,* de E. T. A. Hoffmann, fue compuesto por el genial compositor romántico ruso en 1891 y es sin duda uno de los *ballets* más representados en el mundo occidental durante la Navidad.

Noche de Navidad, Nikolai Rimsky-Korsákov (1844-1908)

Ópera, basada en el relato *Nochebuena* de Nikolai Gógol, que el autor compuso en 1895 y con la que obtuvo un gran éxito.

Ceremonia de villancicos, Benjamin Britten, 1913-1976

El compositor británico escribió está composición musical de varias canciones navideñas para coro y arpa en 1942, durante una travesía por el Atlántico en barco, de regreso a Inglaterra.

Retablo de Navidad, Joaquín Rodrigo (1901-1999)

Se trata de una composición de 1952 para orquesta de cámara, *mezzosoprano* y coro infantil.

La prolongada cena de Navidad, Paul Hindemith, 1895-1963)

Ópera de estilo contemporáneo, creada en 1963 por este compositor y violinista alemán.

ALGUNOS CLÁSICOS SIEMPRE VUELVEN POR NAVIDAD

Existen obras del repertorio clásico que, si bien no fueron compuestas pensando en la Navidad, siempre suelen interpretarse durante estas fiestas. Una de ellas es *El Mesías,* de Händel, un oratorio que cuenta la vida de Jesús y que se estrenó en Irlanda en 1742 durante un concierto benéfico.

Otra obra clásica que suele interpretarse en Navidad es el *Ave María* de Schubert. Inicialmente, el texto de este *lied* («canción lírica») no era la oración católica del Ave María, ya que este canto de inspiración popular era una adaptación de un pasaje de *La dama del lago* de Walter Scott en el que la protagonista reza a la Virgen implorando su ayuda. Actualmente, sin embargo, lo más frecuente es oír esta pieza con el texto en latín de la oración del Ave María.

Y por supuesto, este apartado no estaría completo sin citar las obras de la familia Strauss, que componen el repertorio tradicional de los conciertos de Año Nuevo y en particular del Musikverein de Viena.

LA NAVIDAD EN EL TEATRO

El teatro occidental moderno tiene su origen en los dramas litúrgicos que se representaban en las iglesias o en sus atrios con motivo de la Pascua y la Navidad durante la Edad Media. Al principio, estas pequeñas representaciones se realizaban en latín, pero poco a poco fueron incorporando textos en lenguas vernáculas.

El texto teatral más antiguo escrito en castellano que conocemos es precisamente *El Auto de los Reyes Magos*, una obra anónima de principios del siglo XIII que se representaba en la catedral de Toledo con ocasión de la Navidad. Este drama narra el viaje de los reyes Melchor, Gaspar y Baltasar siguiendo la estrella de Belén.

La tradición del teatro religioso vivió un nuevo momento de esplendor en el siglo de Oro español con los autos sacramentales, obras principalmente alegóricas que representaban conceptos abstractos como la Fe, la Sabiduría o el Error encarnados en distintos personajes. Aunque los temas de los autos eran muy variados y abarcaban desde episodios del Antiguo Testamento hasta obras de inspiración mitológica o representaciones de la Eucaristía, la Navidad continuó siendo un motivo recurrente en esta clase de obras.

En el ámbito anglosajón, se desarrolló a partir del siglo XVII el género de la pantomima, inspirado en la *Commedia dell'Arte* italiana. Se trataba de representaciones de historias cómicas dirigidas a los niños que solían ofrecerse por Navidad, y en las que el personaje de Arlequín tenía una especial importancia.

A partir del siglo XIX, las pantomimas evolucionaron incorporando nuevos temas y adaptando algunos cuentos clásicos europeos al escenario. En Gran Bretaña, este género sigue siendo muy popular en nuestros días, y se asocia estrechamente a las festividades navideñas.

También el género del musical cuenta con algunas obras de tema navideño, entre las que destaca *A Christmas Story*, con música de Bent Pasek y Justin Paul y libreto de Joseph Robinette.

Representación teatral (Madrid, 1981) de *La cena del rey Baltasar*, auto sacramental de Calderón de la Barca. A la derecha, *Las siete artes liberales*, pintura sobre tabla de Giovanni da Ponte (1435).

ASÍ COMIENZA EL AUTO DE LOS REYES MAGOS

GASPAR:
¡Dios criador, cuál maravilla!
No sé cuál es aquesta estrella.
Agora primas la he veída.
Poco tiempo ha que es nacida.
¿Nacido es el Criador
que es de las gentes señor?
Non es verdad, no sé qué digo.
Todo esto non vale un figo.
Otra noche me lo cataré.
Si es verdad, bien lo sabré.
¿Bien es verdad lo que yo digo?
En todo, en todo lo prohío.
¿Non puede ser otra señal?
Aquesto es y non es ál;
nacido es Dios, por ver, de fembra
en aqueste mes de diciembre.
Allá iré; [d]o que fuere, adorarlo he,
por Dios de todos lo tendré.

BALTASAR:
Esta estrella non sé dond viene,
quién la trae o quién la tiene.
¿Por qué es aquesta señal?
En mis días non vi a tal.
Ciertas nacido es en tierras
aquel que en pace y en guerra
señor ha de ser de Oriente,

de todos hasta en Occidente.
Por tres noches me lo veré
y más de vero lo sabré.
¿En todo, en todo es nacido?
Non sé si algo he veído;
iré, lo adoraré
y pregaré y rogaré.

MELCHOR:
¡Val, Criador!, ¿a tal facienda
fue nunca alguandre fallada
o en escritura trovada?
Tal estrella non es en cielo,
de esto soy yo buen estrellero;
bien lo veo sin escarno
que un hombre es nacido de carne
que es señor de todo el mundo.
Así como el cielo es redondo;
de todas gentes señor será
y todo siglo juzgará.
¿Es? ¿Non es?
Cudo que verdad es.
veer lo he otra vegada,
si es verdad o si es nada.
Nacido es el Criador
de todas las gentes mayor;
bien lo veo que es verdad,
iré allá, por caridad.

LA NAVIDAD EN EL CINE

Existen grandes películas de todos los tiempos que narran historias relacionadas con la Navidad. Algunas se han convertido en auténticos clásicos, otras son más recientes. Aquí tienes una lista de largometrajes para ambientarte durante las fiestas navideñas.

Mujercitas

Existen numerosas versiones cinematográficas de la novela de Louise May Alcott, pero quizá la mejor sea la que dirigió en 1933 George Cuckor, protagonizada por Katherine Hepburn en el papel de Jo. Otra versión muy conocida es la de Mervyn Leroy en 1949, protagonizada por June Allyson, Elizabeth Taylor, Janet Leigh y Mary Astor.

Juan Nadie, **Frank Capra (1941)**

Película protagonizada por Gary Cooper y Barbara Stanwick, presenta la historia de un hombre normal que escribe una carta a un periódico anunciando que piensa suicidarse el mismo día de Navidad. A partir de ahí, todo un movimiento ciudadano se pone en marcha para disuadirle de su propósito, aunque también aparecen políticos y periodistas dispuestos a manipular el fenómeno en su provecho.

Cita en San Luis, **Vicente Minelli (1944)**

Este musical protagonizado por Judy Garland contiene, además de memorables escenas navideñas, la gran interpretación de Garland de la canción *Have Yourself a Merry Little Christmas,* que desde entonces se ha convertido en un clásico del repertorio de estas fechas.

¡Qué bello es vivir! **Frank Capra (1946)**

Esta película protagonizada por James Stewart narra la historia de un hombre que, agobiado por los problemas económicos de su empresa, decide suicidarse en la noche de Nochebuena. Un ángel se le aparece entonces para mostrarle cómo habría sido el mundo si él nunca hubiese existido. Se trata sin duda de uno de los clásicos cinematográfico navideños por excelencia, y muchas cadenas televisivas lo recuperan cada año en estas fechas. A la izquierda, podemos ver una de sus escenas.

De ilusión también se vive , George Seaton (1947)

Protagonizada por Edmund Gwenn, Maureen O'Hara y Natalie Wood cuenta la historia de un anciano que se ofrece a remplazar al Santa Claus de unos grandes almacenes, y que intentará convencer a la hija de su nuevo jefe de que él es el auténtico Santa Claus.

Cuento de Navidad, Brian Desmond Hurst (1951)

Esta película británica es quizá la mejor adaptación al cine del clásico de Charles Dickens *Canción de Navidad*. El personaje del avaro Ebenezer Scrooge está magníficamente interpretado por el actor Alistair Sim.

Navidades blancas, Michael Curtiz (1954)

El género del musical también dedicó películas a las fiestas navideñas, como esta cinta proganizada por Bing Crosby y Danny Kaye, que cuenta las aventuras de dos excombatientes de la Segunda Guerra Mundial que intentan ganarse la vida montando espectáculos musicales.

Plácido, Luis García Berlanga (1960)

Partiendo del lema «siente a un pobre a la mesa» Berlanga nos ofrece una comedia costumbrista y una sátira de la sociedad española de la época que obtuvo las mejores críticas y una gran repercusión internacional.

Pesadilla antes de Navidad, Tim Burton (1993)

Esta película de animación (en la imagen superior) escrita, dirigida y producida por Burton, narra la historia de Jack Stellington, un importante personaje de la ciudad de Halloween que, maravillado con la fiesta de Navidad, decide introducirla en su comunidad raptando y sustituyendo a Santa Claus.

El Grinch, Ron Howard (1993)

Esta película está basada en el libro *Cómo el Grinch robó la Navidad* de Dr. Seuss. Protagonizada por Jim Carrey, ha sido una de las películas más taquilleras de todos los tiempos.

El expreso Polar, Robert Zemeckis (2004)

Esta versión cinematográfica de la historia homónima escrita por Chris Van Allsburg e interpretada por Tom Hanks, entre otros actores, cuenta el asombroso viaje de un niño en un tren que lo lleva al Polo Norte para conocer a Santa Claus.

LA NAVIDAD EN EL CÓMIC, EN LA PUBLICIDAD Y EN LA TELEVISIÓN

Las fiestas navideñas han tenido una gran influencia en la cultura popular. Desde los anuncios publicitarios diseñados para estas fiestas a los episodios especiales de las series televisivas, pasando por la prensa y los cómics, podemos encontrar una enorme variedad de expresiones culturales asociadas a la Navidad. Estos son algunos ejemplos.

LA NAVIDAD EN EL CÓMIC

También las editoriales de cómics publican cada año números especiales de tema navideño. Los coleccionistas atesoran estos números con portadas dedicadas a la Navidad, y las grandes franquicias del cómic americano, como Marvel o DC cómics, han generado historias memorables de sus superhéroes ambientadas en estas fiestas tan señaladas. Santa Claus figura incluso en la base de datos de Marvel en Internet como un personaje alineado con el bien, y se cuenta por ejemplo que Iron Man se ofreció a alquilarle su reno robótico para que pudiese entregar los regalos a tiempo.

Algunos cómics navideños especialmente curiosos son los siguientes: *Cuento de Navidad zombi*, de Marvel (una adaptación con zombis de *Canción de Navidad* de Charles Dickens) *Batman Noel*,

adaptación de la obra de Dickens, esta vez por la franquicia DC). *Superman paz en la Tierra* es una historia en la que Superman lleva el árbol de Navidad a la plaza de Metrópolis, tras lo cual salva a una indigente durante un tumulto en la ceremonia de encendido, experiencia que le hará decidir convertirse durante 24 horas en una especie de Santa Claus superheroico. Otro ejemplo sería *Green Lantern Corps «Fin de una era»*, con una historia navideña al final.

LA NAVIDAD EN LA PUBLICIDAD Y LA TELEVISIÓN

Desde finales del siglo XIX, las Navidades se convirtieron en unas fiestas asociadas al consumo. Ya en la Inglaterra victoriana, los grandes almacenes de Londres competían cada año para convertir sus escaparates navideños en una atracción para el gran público. A principios del siglo XX, muchas empresas comenzaron a encargar carteles y anuncios con motivos navideños como el acebo o el múerdago para la promoción de sus productos en estas fechas. A medida que la publicidad fue evolucionando, algunas de sus producciones empezaron a influir en la visión popular de ciertos personajes y motivos relacionados con la Navidad. Por ejemplo, el anuncio que una conocida marca de refrescos estadounidense encargó en 1931 al artista Haddon Sundblom representaba a Santa Claus bebiendo su refresco, y su representación del personaje vestido con un traje rojo con adornos de piel blanca en las mangas rápidamente se convirtió en la imagen generalizada de Santa Claus, borrando poco a poco de la cultura popular otras representaciones anteriores.

También el famoso reno Rodolfo, el de la nariz roja, surgió de la publicidad. Fue el departamento publicitario de la empresa Montgomery Ward & Company quien, en 1939, difundió su historia como reclamo navideño para sus clientes.

Con la aparición de los anuncios televisivos en la década de 1950, surgieron nuevas formas de asociar la publicidad a las fiestas navideñas. Las empresas empezaron a competir por anunciar sus productos durante la emisión de los programas especiales navideños, a cambio de altas sumas de dinero. Desde entonces, cuando se acerca la Navidad las televisiones se inundan de anuncios de juguetes, para incitar a los niños a incluirlos en sus cartas a Santa Claus o a los Reyes Magos. También proliferan los anuncios de perfumes y artilugios electrónicos, para dar ideas a los adultos que quieren hacer regalos. En España, algunos clásicos relacionados con la publicidad navideña son los anuncios de turrones y de cava. El eslógan «Vuelve a casa por Navidad», utilizado desde la década de 1970 para anunciar una conocida marca de turrones se ha convertido en un lugar común de estas fiestas. Y cada año, el anuncio de una célebre empresa de cava, en el que las burbujas son bailarinas vestidas de dorado que bailan alrededor de algún personaje famoso, se convierte en todo un acontecimiento.

Otro anuncio televisivo navideño muy recordado es el de una popular marca de muñecas dirigiéndose al portal de Belén. La canción que acompañaba el anuncio se hizo tan famosa que prácticamente se cantaba durante las fiestas como si fuese un villancico más. En los últimos años, los anuncios de la lotería han sido quizá los que más atención han atraído, especialmente los protagonizados por un actor calvo que representaba «la suerte» asociada a este sorteo.

Cada año, las cadenas televisivas de todo el mundo emiten programas especiales relacionados con las fiestas navideñas. En España, la televisión pública emite cada Nochebuena, a las nueve de la noche, un mensaje del rey felicitando las fiestas a todos los españoles. También se retransmite en directo por televisión la ceremonia de las campanadas del reloj de la Puerta del Sol, en la medianoche del día 31 de diciembre, mientras

los presentadores se comen las uvas delante de la audiencia. Otras cadenas retransmiten «las uvas» desde diferentes localidades españolas.

Los programas especiales de Nochebuena y Nochevieja suelen ser galas musicales, a veces protagonizadas por famosos que no se dedican normalmente a la canción, o bien programas de humor, como los célebres especiales del dúo cómico Martes y Trece, que amenizaron las Nocheviejas de los españoles entre 1989 y 1997.

Además, numerosas series de televisión preparan episodios especiales para estas fechas. Son un clásico, por ejemplo, los episodios navideños de series como los *Simpson* o *Phineas y Ferb*, o los de la serie cómica *Friends*, así como los de *El ala oeste de la Casa Blanca*, *Los Soprano* o *Mad Men*, por mencionar solo algunas de las más conocidas de los últimos años.

Todas las personas
que hemos participado
en la creación de este libro
os deseamos una felíz Navidad,
que os regalen muchas cosas,
y un estupendísimo
Año Nuevo